COLLEZIONE

47.

ISBN 978-88-06-06585-0

Eduardo De Filippo

NAPOLI MILIONARIA!

Giulio Einaudi editore

NAPOLI MILIONARIA!

(1945)

Personaggi

Gennaro Jovine, tranviere disoccupato
Amalia, sua moglie
Maria Rosaria ⎱ loro figli
Amedeo ⎰
Errico «Settebellizze» ⎱ tassisti disoccupati
Peppe «'o Cricco» ⎰
Riccardo Spasiano, ragioniere
Federico, operaio del gas, compagno di Amedeo
Pascalino «'o pittore»
«'O Miezo Prèvete», uomo di fatica
Il brigadiere Ciappa
Adelaide Schiano, vicina di Amalia
Assunta, sua nipote
Donna Peppenella, «cliente» di Amalia
Teresa ⎱ amiche di Maria Rosaria
Margherita ⎰
Il dottore

L'azione ha luogo a Napoli. Il primo atto si svolge durante il secondo anno di guerra; i successivi dopo lo sbarco degli Alleati.

'O vascio 'e donn'Amalia Jovine.
Enorme «stanzone» lercio e affumicato. In fondo ampio vano arcuato, con telaio a vetri e battenti di legno, che dà sul vicolo. Porta in prima quinta a sinistra. In prima a destra altra porta in legno grezzo, dipinta ad olio, color verde mortella, da mano inesperta: «'a porta d' 'a vinella». In fondo a destra un tramezzo costruito con materiali di fortuna che, guadagnando l'angolo, forma una specie di cameretta rettangolare angusta: nell'interno di essa vi sarà, oltre a uno strapuntino per una sola persona, tutto quanto serve al conforto di una minuscola e ridicola camera da letto. L'arredamento d'obbligo sarà costituito da un letto matrimoniale di ottone tubolare ormai ossidato e opaco che si troverà a sinistra dello spettatore, un comò, una «cifoniera» con sopra santi e campane di vetro, un tavolo grezzo e sedie di paglia. Gli altri mobili li sceglierà il regista, ispirandosi al brutto Ottocento e curerà di disporli in modo da addossarli quasi l'uno all'altro, cercando di far sentire il disagio e la difficoltà di «traffico» cui è sottoposta la famiglia, talvolta numerosissima, costretta a vivere in simili ambienti. Sul tavolo si troveranno diverse tazzine da caffè, di forma e colori differenti e una «tiana» di rame piena d'acqua. Dal vano di fondo si scorgerà il vicolo, nelle prime ore del mattino, e i due battenti laterali dei bassi dirimpetto. Al centro di essi, un altarino in marmo eretto alla Madonna del Carmine dai fedeli abitanti del vicolo. Sulla mensola sottostante una piccola lampada votiva ad olio, sospesa.
Siamo alla fine del secondo anno di guerra (1942). In

piedi, accanto al tavolo centrale, Maria Rosaria, nei po-
verissimi panni di figlia del popolo, lava le tazze spor-
che e le risciacqua nella «tiana», disponendole, in ordi-
ne, sul tavolo. Dal vicolo, molto in lontananza, si ode
il vocio confuso di persone che litigano. A poco a po-
co il litigio diventa sempre piú distinto e violento, fino
a che se ne distinguono le voci e le parole piú accese.
Qualche volta predomina la voce di Amalia Jovine. Ma-
ria Rosaria continua indifferente il suo daffare: indiffe-
rente al punto da apparire completamente estranea a
quanto avviene. Dalla prima a sinistra entra Amedeo; si
è svegliato da poco. Stiracchiando le membra ancora in-
torpidite e sbadigliando si dirige lentamente, quasi con
indolenza, verso il fondo. È un giovane sui venticinque
anni, di colorito olivastro, simpatico, svelto, furbo, ma
debole di costituzione. Indossa una maglietta di lana
scadente color ruggine, rattoppata e bucherellata. Nel-
la mano destra reca un asciugamano che è quasi uno
straccio. Si rivolge alla sorella.

AMEDEO   Se pò avé nu poco 'e cafè?
MARIA ROSARIA   Ancora s'ha da fa'.
AMEDEO   Ha da passà?
MARIA ROSARIA (*col tono di chi dica: «Devi aspettare»*)
Ha da vòllere 'a posa.
AMEDEO (*scoraggiato*)   Eh! E che ne parlammo a ffa'! Ma
è mai possibile ca uno, 'a matina, s'ha da scetà comme
a n'animale? (*Maria Rosaria non gli risponde*). Mammà
addó sta?
MARIA ROSARIA   Sta fore.
AMEDEO   E papà?
MARIA ROSARIA   Nun s'è scetato ancora.

Dalla cameretta di fortuna, creata dal tramezzo, si ode
insieme ad uno strano suono umano che sembra un gru-
gnito, la voce fioca, impastata di sonno di Gennaro.

GENNARO   Me so' scetato, me so' scetato... Sto scetato d' 'e
ccinche! M'ha scetato màmmeta! Già, quanno maie,

dint' a sta casa, s'è pututo durmí nu poco supierchio...
(*Internamente, nel vicolo, la lite si fa piú violenta; la
voce di Amalia sovrasta*). ... Siéntela, sie'... Ih che sce-
ruppo!

AMEDEO (*a Maria Rosaria*)   Ma... e mammà?

MARIA ROSARIA   Sta parlanno cu' donna Vicenza.

GENNARO (*sempre dalla cameretta*)   Sta parlanno? S' 'a sta
mangianno!

AMEDEO   Ma sempe p' 'o fatto d' 'a semmana passata?

MARIA ROSARIA (*alludendo a donna Vicenza*)   Chella è na
faccia verde, fàveza e mpechèra... Quanno veneva dint'
'o vascio nuosto, mammà lle deva 'a tazza 'e cafè, 'e
vvesticciolle vecchie pe' chella scignetella d' 'a figlia,
l'uovo frisco... Già, chella mammà addó vede e addó ce-
ca... Se mparaie a chillo ca ce porta 'o ccafè a nuie, e
ss' 'o ffacette purtà pur'essa... Mo, nun solo s'è miso a
vvénnere 'o ccafè dint' 'o vascio suio, ca sta poco lunta-
no d' 'o nuosto, ma quanto 'o ffa pavà a ddoie e cin-
quanta... Meza lira 'e meno.

GENNARO (*c. s.*)   Il Gran Caffè d'Italia ha fatto concorren-
za al Gambrinús.

MARIA ROSARIA (*non badandogli*)   E po' va dicenno a tut-
tu quante ca dint' 'o ccafè ca facimmo nuie, ce sta 'o
ssurrogato!

GENNARO (*c. s.*)   Aspe'... No: «ca facimmo nuie»... Ca fa-
cite vuie... Ca fa màmmeta... Pecché io nun 'o ffaciar-
ria... Stu fatto ca he 'a campà 'e pàlpite: 'e gguardie, 'o
brigadiere, 'e fasciste...

MARIA ROSARIA   Già, ccà si fosse pe' vuie avéssemo voglia
'e ce murí 'e famma!

GENNARO   Avésseme voglia 'e campà onestamente, he 'a
dicere...

MARIA ROSARIA   Ma pecché, è cosa disonesta a vvénnere
'o ccafè?

AMEDEO   Si nun 'o ffacimmo nuie, ce stanno n'ati cciento
perzune ca 'o ffanno... Vicenza nun s'è mmisa a vvénne-
re 'o ccafè pur'essa?

GENNARO   'A settimana passata, ncopp' 'o Conte 'e Mo-
la, nu signore se menaie d' 'o quarto piano abbascio...

AMEDEO   E che ce trase chesto?

GENNARO   Pecché nun te mine abbascio pure tu?

AMEDEO   Papà, vuie cierti ccose nun 'e capite... Site 'e
n'ata època. (*Maria Rosaria fa un cenno al fratello co-
me per dire: «Non dargli importanza». Allude al pa-
dre*). Eppure dice buono!

GENNARO   Dice buono, è ove'? Sòreta t'ha fatto segno:
«Nun 'o da' retta...» Perché io sono scocciante, nun ca-
pisco niente... Poveri a voi... Che generazione sbaglia-
ta... (*Piccola pausa*). Io po', voglio sapé na cosa 'a te...
Il caffè che voi vendete tre lire 'a tazza, 'o contrabban-
diere ca 'o vvenne a vvuie addó 'o ppiglia? Non lo sot-
trae alle cliniche, agli ospedali, alle infermerie mili-
tari?...

AMEDEO   Papà, stàteve zitto... Vuie íreve stunato, ma
mo ve site fernuto 'e rimbambí... Qua' cliniche e spita-
le militare? Ccà 'a rrobba va a ferní dint' 'e ccase 'e
ll'Autorità! Aiere, cinche chile 'e cafè a sittanta lire 'o
chilo chi 'e ppurtaie? Nun 'e ppurtaie nu capomanipo-
lo fascista? E mammà nun s' 'e vulette piglià pe' paura
ca se trattava 'e n'agente provocatore? Vuie ve ne ve-
nite: «Si sottrae»... Si uno vedesse che la classe diri-
gente filasse deritta, allora sarebbe l'uomo il piú mala-
mente se vi parlasse come vi sto parlando io... Ma
quanno tu vide ca chille che avessere 'a da' 'o buono
esempio songo na mappata 'e mariuole... allora uno di-
ce: «Vuó sapé 'a verità... Tu magne buono e te ngras-
se e io me moro 'e famma? Arruobbe tu? Arrobbo pu-
r'io! Si salvi chi può!»

GENNARO   No, fino a che ce stongo io dint' 'a casa, tu nun
arruobbe!

AMEDEO   Vengo per dire... (*Durante questa scena la lite
nel vicolo è scemata, quasi finita*). Mo me piglio 'o cca-
fè mio. (*Da un tiretto della «cifoniera» prende una sco-
della grande ricoperta da un piatto fondo rovesciato, un
cucchiaio e un pezzo di pane raffermo. Maria Rosaria lo
guarda quasi sospettosa. Amedeo se ne accorge, le ri-
sponde brusco*) Che bbuó? Songo 'e maccarune mieie
d'aiere.

MARIA ROSARIA   Chi te sta dicenno niente!

AMEDEO (*si è avvicinato al tavolo centrale, siede, disponendosi a mangiare; ma, scoperchiata la scodella, la trova vuota*)   E 'e maccarune mieie addó stanno?

MARIA ROSARIA   E io che ne saccio?

AMEDEO (*fuori di sé*)   Io aieressera nun m' 'e mangiaie apposta pe' m' 'e mangià stammatina... (*Sospettoso, guardando la cameretta di Gennaro*) Chi s' 'ha mangiate? Papà, v' 'avísseve mangiate vuie?

GENNARO   E non erano 'e mieie?

AMEDEO (*esasperato*)   Io 'aggio ditto ca me n'aggi' 'a ji' 'a dinto a sta casa! E sí... Chillo 'o pranzo è troppo 'e cunsistenza! (*Verso Gennaro*) Ma vuie 'e vuoste, nun v' 'e mangiàsteve aieressera?

GENNARO (*col tono di chi è convinto di aver ragione*)   Oh! Tu che vuó?! Io non mi ricordo. 'E mieie... 'e tuoie... Si salvi chi può!

AMEDEO   Ma io nun me faccio capace... Vuie magnate 'e notte? Ve susíte apposta?

GENNARO (*spazientito*)   Oini', tu quanto si' scucciante! Tu quant'anne vuó campà?! Me soso apposta! He 'a vedé cu' che piacere me so' susúto, stanotte... L'allarme nun l'he sentuto? Doie ore e mmeza 'e ricovero. So' turnato 'a casa con un freddo addosso... Non potevo dormire, pe' via di un poco di languidezza di stomaco... Me so' ricurdato ca ce stéveno duie maccarune rimaste: putevo sapé 'e chi erano? Chille erano tale e quale 'e mieie!

AMEDEO   Erano tale e quale? Io mo aggia ji' a ffaticà, ce vaco diuno? (*Al colmo della rabbia*) 'O mmagnà mio nun 'o vvoglio essere tuccato, mannaggia 'a Marina! (*Batte un pugno sul tavolo*) Mo vedimmo chi è! Io 'a rrobba 'e ll'ate nun 'a tocco. Mo, quant'è certo Dio, scasso tutte cose!

GENNARO (*alza la tenda della sua cameretta e compare in maniche di camicia, col pantalone sommariamente abbottonato e le bretelle penzoloni. È un uomo sui cinquant'anni, magro, patito: il volto chiaro dell'uomo profondamente onesto, che però molto ha imparato dai disagi e dalle «malepatenze»*)   Guè, tu 'a vuó ferní?

Che scasse? Io overamente nun me ricordo! Tu staie
facenno chistu ballo in maschera!

AMEDEO   E ffaccio 'o ballo in maschera... Io resto diuno!

GENNARO   Chille erano tantille 'e maccarune... (*Fa il ge-
sto per indicare il poco cibo*).

AMEDEO   Era nu piatto tanto! (*Fa il gesto irritato, come
per indicarlo colmo. Gennaro, nel contempo, prende
dal tavolo il pezzo di pane e comincia a spezzarne un
pezzetto. Amedeo glielo toglie di mano con mala gra-
zia*) Chesto è 'o ppane mio!

GENNARO (*disarmato di fronte alla violenza del figlio*)   E
pigliatillo. Che bell'amore di figlio!

AMEDEO   Pecché, vuie v'avite mangiato 'e maccarune
mieie per amore di padre? Chello 'o ppane è poco!
(*Mostrando il pezzo di pane a un Tizio inesistente*) Te-
nite mente ccà... Mo statte fino a miezuiorno cu' stu ppo-
co 'e pane... (*Col tono di prendere una decisione da lun-
go tempo meditata*) No, ma io me ne vaco, me ne vaco,
'a dint' a sta casa... (*Avviandosi verso la prima porta a
sinistra*) E ca tu t'annascunne 'a rrobba... (*Esce*).

GENNARO (*un po' mortificato*)   Chillo 'ave ragione... Ma io
overamente nun me ricordo... (*Rientra nella sua stan-
zetta*).

AMALIA (*dall'interno, parlando a qualcuno*)   Ma scusate,
donna Peppene', nun ce l'avarísseve ditto?

PEPPENELLA (*anch'essa dall'interno*)   Avite fatto proprio
buono!

Maria Rosaria esce per la prima porta a destra. Frattan-
to entra dal fondo Amalia, seguita da Peppenella. Ama-
lia è una donna sui trentotto anni, ancora piacente. Il
suo modo di parlare, il suo tono e i suoi gesti dànno su-
bito l'impressione di un carattere deciso, di chi è abi-
tuato al comando. Il suo abbigliamento è costituito dal
necessario indispensabile. Qualche punta di vanità si
nota solamente nelle calze che sono di pura seta. Ha de-
gli occhi irrequieti: tutto vedono e osservano. Riesce
sempre a formarsi una coscienza delle proprie azioni,
anche quando non sono del tutto rette. Avida negli af-

fari, dura di cuore; talvolta maschera il suo risentimen-
to per una qualche contrarietà con parole melate, la-
sciando però indovinare il suo pensiero dall'ironia del-
lo sguardo. È accaldata e furibonda.

AMALIA   Chella steva sempe menata dint' 'o vascio mio...
N'ha avuto rrobba 'a me! (*Con accentuato sarcasmo,
rievocando passate cortesie*) ...L'uovo frisco... 'o pez-
zullo 'e bullito... 'o piattiello 'e maccarune... Dio 'o ssa-
pe chello che costa nu poco 'e schifezza 'e magnà, sal-
vanno 'a grazia 'e Dio, quanno 'o ttruove... (*Irritata,
rievocando con rimorso la sua passata dabbenaggine*)
Nu metro e mmiezo 'e lana pesante p' 'a figlia... (*Par-
lando a Maria Rosaria, verso destra*) Vólle sta posa o
no?

MARIA ROSARIA (*dall'interno*)   Mo è scappata a vóllere!

AMALIA   E viénete a piglià 'o ccafè... (*A Peppenella, con
tono deciso per togliersela dai piedi*) 'Onna Peppene',
aggiate pacienza, mo iatevenne!

PEPPENELLA (*signora scaduta, umile, dimessa, con un sor-
riso di compiacenza rassegnata*)   Fate i fatti vostri.
(*Non si muove*).

AMALIA (*solleva il materasso del letto matrimoniale e
prende un pacco legato con lo spago; lo porge a Peppe-
nella*)   Chisto è 'o miezu chilo 'e farina che me cercà-
steve aiere... M'avite 'a da' quaranta lire.

PEPPENELLA (*sbarrando gli occhi*)   A ottanta lire 'o chi-
lo?... È aumentato n'ati dieci lire?

AMALIA   Vuie si 'o vvulite v' 'o ppigliate, o si no, statevi
bene... Quanno vene 'a perzona... ce 'o ddongo n'ata
vota... Io per farvi un piacere, certamente, me metto
pure a rischio 'e passà nu guaio... Non ci *guadambio*
neanche niente perché non sono affari che m'interes-
sano...

GENNARO (*sporgendo la testa dall'alto del tramezzo della
sua cameretta*)   Io vularria sapé tu pecché t'he 'a met-
tere mmiez' a cierti mbruoglie... 'A farina si 'a vonno
s' 'a trovano lloro... (*A Peppenella*) Non ve la sapete
trovare?

PEPPENELLA (*abbozzando e masticando amaro*)   E che vi
posso rispondere? «Noi» non la troviamo.

GENNARO   E la venite a cercare qua? Avete saputo che ci
abbiamo il mulino? Avisseve liggiuto ncopp' 'a porta:
«Pantanella»? (*Alla moglie*) E nun 'o vvuó capí! Non
ci *guadambi* neanche niente, perché io non permetto
questo commercio in casa mia...

PEPPENELLA   E quella, vostra moglie, ci ha il cuore buo-
no... Sentette ca me serviva un poco di farina e me l'ha
procurata... (*Cava da una sdrucita borsetta del denaro
e, dandolo ad Amalia, la fissa come volendola fulmina-
re*) E queste sono le quaranta lire.

Gennaro rientra.

AMALIA (*accetta lo sguardo fissando a sua volta, duramen-
te, Peppenella*)   E grazie tante.

PEPPENELLA (*richiudendo la borsetta, dice quasi inciden-
talmente*)   Se vi càpitano due fagioli...

AMALIA (*pronta e cattiva*)   Niente, donna Peppenella
mia! (*Piú rabbonita per improvviso senso politico*) 'A
stessa perzona d' 'a farina me prumettette nu pare 'e
chile 'e fagioli pe' nuie e nun me l'ha purtate... Si 'e
pporta...

PEPPENELLA (*rassegnata*)   Mi tenete presente.

AMALIA   Ma si vèneno... vèneno certamente cu' ll'aumen-
to!

PEPPENELLA (*con ineluttabilità*)   E io m' 'e ppiglio cu'
ll'aumento! (*Con intenzione, sempre fissando l'interlo-
cutrice*) Buona giornata!

AMALIA (*indispettita, come per ritorsione sottintesa, rim-
boccandosi la manica del braccio destro*)   E pure a
vvuie!

PEPPENELLA (*si avvia verso il fondo, per uscire: verso la
cameretta di don Gennaro*)   Stateve buono, 'on Gen-
nari'.

GENNARO (*dall'interno della sua cameretta, secco*)   Non ci
venite piú!

PEPPENELLA (*uscendo, mormora masticando amaro*) Va bene, avete ragione voi...

MARIA ROSARIA (*entrando, si ferma sul limitare dell'uscio*) 'O ccafè...

AMALIA (*solleva il materasso, prende un pacchetto di caffè già macinato e lo porge alla figlia*) Teccatéllo. (*Maria Rosaria fa per uscire; la madre la richiama*) Vien' 'a ccà, tu n'ata... (*Maria Rosaria si avvicina: Amalia la rimprovera aspramente*) 'A sera t'he 'a ritirà ampressa! (*Nel dire ciò fulmineamente le dà un manrovescio piantandola poi in asso e dandosi da fare attorno in faccende*).

MARIA ROSARIA (*la mano sulla guancia, poco sorpresa dell'accaduto per nulla insolito, risponde con tono deciso e indispettito*) Io iette cu' ddoie cumpagne meie a vedé 'o cinematografo 'a «Sala Roma».

AMALIA (*col tono di chi non ammette replica, ma senza drammatizzare*) E nun ce aviv' 'a ji'. (*Quasi parlando a se stessa*) Cu' 'o scuramento che ce sta, te retire all'una e nu quarto... Dint' 'o vico che díceno? Aieressera nun facèttemo ll'opera pecché era tarde... Ma cammina deritto si no te manno 'o campusanto! Va ffà 'o ccafè, ca si no accumenciano a vení 'e cliente...

Maria Rosaria tace, un po' mortificata, ma con lieve disappunto, esce.

GENNARO (*compare, sempre con le vesti in disordine, la camicia fuori dei pantaloni. Mentre segue la scena incomincia a insaponarsi il viso per radersi davanti a un piccolo specchio appeso al muro del tramezzo*) Sono ragazze! Bisogna avere gli occhi aperti e sorvegliare la gioventú!

AMALIA (*non gli risponde, prende una quantità di fagioli che si troveranno in un sacchetto sotto il letto e li mette in un colapasta che si troverà in un canto, senza che Gennaro se ne accorga. Parlando verso la «vinella»*) Appena he luvato 'o ccafè, miette a ffa' sti fagiole... (*Va*

alla porta della «vinella» e porge il colapasta a Maria
Rosaria, che lo prende ed esce).

GENNARO   Ma allora 'e fagiole ce stanno? (*Amalia non gli*
risponde). Non c'è risposta!

ADELAIDE (*dall'interno del vicolo, parlando a distanza*)
Assu', appiccia doie lignezzolle: mettimmo a fa' nu po-
co 'e brodo finto... (*Entra dal fondo. È una donna del*
popolo, furba, un po' ciarliera, di mezza età. Porta una
borsa da spesa sdrucita con qualche pacco di viveri e fa-
sci di verdura) Donn'Ama', io aggio accumpagnata a Ri-
tuccia 'a scola e p' 'a strata ll'aggio accattata pure 'a
bella cosa, pecché nun ha fatto capricce... Ma quanto
è bella chella figlia vosta! E che giudizio ca tene! (*Ame-*
deo dalla sinistra, in tuta da operaio del gas, si dirige
verso il comò; prende una spazzola e comincia a spazzo-
lare il berretto che ha portato con sé. Ascolta le ultime
parole di Adelaide e se ne compiace per la piccola di cui
si parla: la sorellina. Adelaide continuando) Pare na
vicchiarella! Ma quant'anne tene?

AMEDEO (*interviene*)   Cinch'anne!

ADELAIDE (*tenera*)   Santa e vecchia! E come parla bene!
Che bella pronunzia! Io, po', p' 'a scanaglià, l'aggio ad-
dimannato: «A chi vuó bene, tu?» «A mammà», ri-
spunneva essa.

GENNARO   E quella è una adorazione che ci ha per la ma-
dre.

ADELAIDE   «E papà ched'è?» «È fesso!» Ma con una
pronunzia chiara chiara... La *esse* la tiene proprio bel-
la...

E seguita a parlottare con Amalia, mentre Gennaro,
punto dall'apprezzamento di Adelaide, guarda la donna
con occhio torvo, nonché la moglie e il figlio che sem-
brano compiaciuti.

GENNARO (*dopo una pausa, pigro e sfiduciato del valore che*
potranno avere le sue parole, dice in tono lento)   Non
è che io prendo cappello per l'apprezzamento della
bambina. Chella tene cinch'anne... Figuratevi se mi può

fare impressione il giudizio di un *mininfanzio*. (*Con tono risentito, rivolto ad Amedeo, come per accusarlo*) Ma nun c' 'e mparate cierti maleparole.

AMEDEO E che c' 'e mparammo nuie? Chella 'e ssente mmiez' 'o vico!

GENNARO (*perdendo la calma*) Proprio tu! Parli sboccato in casa, 'a bambina sente e ripete!

AMEDEO Io? Ma vuie fússeve scemo?

GENNARO Va bene, come volete *voi*...

AMEDEO Proprio come dico io!

GENNARO Io con *voi* non voglio parlare...

AMEDEO E pecché me parlate?

GENNARO (*ammettendo la sua mancanza*) E ce càpito sempe!!

ADELAIDE (*conciliante*) Don Genna', voi non vi dovete impressionare... Quella è bocca d'angelo... (*Allude alla bambina*).

GENNARO Ma dice parole 'e diàvule!

ADELAIDE Na nzíria... Come si avesse pigliata na nzíria... E fin' a sotto 'o purtone d' 'a scola ha fatto comme na canzone, cu' 'o pizzo d' 'a vesticciolla mmano... (*Imitando il gesto e la voce infantile della bambina, quasi cantilenando*) «Papà è fesso! Papà è fesso!»

GENNARO (*indispettito*) Chesto però nun 'o ssente p' 'o vico... chesto 'o dice 'a mamma... (*Amalia fa una alzata di spalle, per indicare la sua noncuranza all'insinuazione del marito*). Ma papà nun è fesso! È un poco stonato... Pecché siccome ha fatto l'altra guerra, quanno turnaie 'a capa nun l'aiutava cchiú... Aggi 'a fa' na cosa e m' 'a scordo, ne penzo n'ata e doppo cinche minute nun m' 'a ricordo cchiú... Trovo 'e maccarune di Amedeo, me credo ca songo d' 'e mieie e m' 'e mmagno...

AMEDEO (*con lo stesso tono ironico*) E Amedeo resta diuno!

Entra Federico dal fondo. È un operaio del gas, amico di Amedeo. Porta sotto il braccio il pacchetto con la colazione.

FEDERICO   Amede' ce ne iammo?

AMEDEO   Aspe' quanno me piglio nu surzo 'e cafè.

FEDERICO   Io già m' 'aggio pigliato. (*Con intenzione guar-
dando Amalia*) Addu Vicenza... Donn'Ama', se piglia
meza lira 'e meno...

AMALIA (*punta, ma con freddezza*)   E vuie pigliatavello
addu Vicenza.

FEDERICO   Ma 'o ccafè vuosto è n'ata cosa; ce l'aggio dit-
to pure a essa. (*Notando freddezza intorno, si rivolge a
don Gennaro, per attaccar discorso*) Don Genna', ve
state facenn' 'a barba?

GENNARO   No. (*Freddo*) Me sto taglianno 'e calle! Ma nun
'o vvide ca me sto facenno 'a barba? C'è bisogno 'e do-
mandà? Domande inutili. Conservàteve 'o fiato e parla-
te quando siete interrogati!

FEDERICO   E va bene, ho sbagliato. (*Scherzoso, alludendo
alla situazione bellica*) Don Genna', che dicite? 'A met-
timmo a posto, sta situazione?

GENNARO   Tu vuoi scherzare. E io ti dico ca s'io fosse mi-
nistro... di... non so quale ramo, perché nun saccio 'a
qua' Ministero dipende, aggiustasse súbeto súbeto 'a si-
tuazione...

FEDERICO (*divertito e dandogli corda*)   Ma, secondo voi,
pecché manca 'a rrobba?

GENNARO   'A rrobba nun manca. Ce sta tutte cose. Fari-
na, olio, burro, formaggio, vestite, scarpe... (*Sentenzia*)
È sempe 'a stessa musica!

FEDERICO   Come s'intende?

GENNARO (*sempre insaponandosi il viso*)   Tu sei troppo
giovane e non te lo puoi ricordare... È tale e quale co-
me nell'altra guerra, che non si trovava niente, i prezzi
aumentavano, 'a rrobba spariva... Secondo te perché si
fanno le guerre?

FEDERICO   Pecché?

GENNARO   Pe' fa' sparí 'a rrobba! (*I presenti ridono appro-
vando. Gennaro arresta la sua insaponatura e comincia
a provar gusto a quanto va dicendo*) E il calmiere?
Quello mo sembra una cosa semplice? E io vi dico che
il calmiere è stato e sarà sempre la rovina dell'umanità.

Calmiere... Pare bella pure 'a parola: calmiere. Tu dici: questa è una cosa che ti vuole calmare... Tu qua' calmare? Quella è l'origine di tutti i mali. Pecché, quanno tu, governo, miette 'o calmiere, implicitamente alimenti l'astuzia del grossista e del dettagliante... Succede 'o gioco 'e prestigio... (*accompagna quest'ultima frase con un gesto come a voler dire: il furto*) e il povero consumatore tiene tre vie d'uscita: o se more 'e famma, o va 'a lemmòsena, o va ngalera... (*Mormorio di consensi*). Il mio progetto, il mio disegno di legge, se ci avessi voce in capitolo...

Dal fondo sono entrati Errico Settebellizze e Peppe 'o Cricco. Sono due autisti a spasso per il divieto di circolazione. Tutti e due dimessi nel vestire. Errico Settebellizze fa onore al suo nomignolo: è bello. Bello, inteso nel senso popolare napoletano: sui trentacinque anni, bruno, capelli ondulati, occhi acuti e pronti, nerboruto e ben piantato. Volentieri sorride e con bonarietà, ma sempre con una cert'aria da protettore; un simpatico furfante, «'o guappo giovane». Peppe 'o Cricco è un po' piú volgare e meno furbo dell'altro, ma è piú forte: il suo ampio torace, il suo collo taurino e la sua specialità di sollevare le automobili con un colpo di spalla, per asportare i pneumatici, gli hanno fruttato il nome che porta. Ha sempre le braccia penzoloni, gesticola raramente, quasi con fatica. Lo si direbbe sempre in ascolto ed in meditazione. Cammina lentamente, e lentamente parla.

ERRICO   Salute! (*I presenti fanno eco al saluto*). Don Genna', fateci sentire questo disegno di legge!

GENNARO (*secco*)   Vuie ve site venuto a piglià 'o ccafè? Pigliatavello e ghiatevenne.

PEPPE   Ma pecché nun putimmo sèntere?

AMALIA (*impaziente, verso la «vinella»*)   He fatto cu' stu ccafè?

MARIA ROSARIA (*dall'interno*)   Duie minute.

ERRICO (*a Gennaro*)   Dunque?

GENNARO   E dunque... Il mio disegno di legge... (*Vuole riepilogare*) Si parlava della mancanza dei generi... Io sostenevo che la robba c'è, ma che è il calmiere che la fa squagliare... Vedete... Il calmiere è una cosa complessa... Non basta una spiegazione fatta cosí semplicemente, per fare due chiacchiere a primma matina... No! Ci vorrebbero mesi e mesi, anni ed anni per sviscerare questa maledetta parola... la qualità e l'applicazione... E forse non basterebbe tutta la carta del mondo e tutto l'inchiostro dell'universo, se poi un uomo volesse scrivere il risultato del trattato...

ERRICO (*convinto*)   Ma na cosa svelta nun se pò fa'?

GENNARO   Un momento. Sto parlando.

PEPPE   Don Genna', io nun tengo pacienza. E quann' 'a gente parla assaie, nun ve pigliate collera, me scoccio e me ne vaco.

GENNARO   E si te ne vuó ji', vatténne!

ERRICO (*a Peppe 'o Cricco*)   'Assànce sèntere. Don Genna', continuate.

GENNARO   Ci vorrebbero, come vi dicevo, anni e anni. Ma io per non farvi perdere tempo e per non scocciare a Peppe 'o Cricco, pur non essendo uomo di lettere e senza ca m'intendo di politica, cercherò di spiegarvi quello che i guai e 'a cattiveria degli uomini hanno spiegato a me, durante la mia tribolata vita di cittadino onesto e soldato della guerra passata, che ha servito la patria con fedeltà ed onore! Tengo 'o cungedo... (*Vorrebbe andare a prenderlo per mostrarlo; ma gli altri lo fermano con un gesto come per dire:* «P'ammore 'a Madonna», «Ve credimmo», «Chi lo mette in dubbio!») Dunque... Il calmiere... Il calmiere, secondo me, è stato creato ad uso e consumo di certe tale e quale persone... che sol perché sanno tènere 'a penna mmano fanno 'e prufessure, sempe a vantaggio loro e a danno nostro. Danno morale e materiale; quello morale prima e quello materiale dopo... E me spiego. Il calmiere significa praticamente: «siccome tu nun saie campà, lèvate 'a miezo ca te mpar' io comme se campa!» Ma nun è ca nuie, cioè 'o popolo nun sape campà... È il loro interesse di dire

che il popolo è indolente, è analfabeta, non è maturo...
E tanto fanno e tanto dicerio, ca se pigliano 'e rrétene
mmano e addeventano 'e padrune. In questo caso 'e
prufessure songo 'e fasciste... (*S'interrompe, come im-
provvisamente pavido; ai presenti*) Guagliu', date n'uoc-
chio fore, ca ccà, si me sentono, me facite passà nu
guaio...

ERRICO   Don Genna', parlate. Chille, a chest'ora, 'e pru-
fessure stanno durmenno...

GENNARO   Ce stanno 'e *bidelle*!

FEDERICO (*va in fondo, come in perlustrazione dà un'oc-
chiata fuori nel vicolo, poi torna e con un gesto di rassi-
curazione a Gennaro*)   Parlate, parlate... Nun ce sta ni-
sciuno...

PEPPE (*nervosamente*)   Ma vuie vedite 'a Madonna addó
simme arrivate... Ccà overo nun se pò campà cchiú!

GENNARO   Dunque... Siamo rimasti al fatto d' 'e rrétene
mmano e che addeventano lloro 'e padrune... E a poco
'a vota, sempe facenno vedé ca 'o ffanno pe' bene tuio,
primma cu' 'o manifesto, po' cu' 'o discorso, 'a minaccia,
'o decreto, 'o provvedimento, 'o fucile... t'arredúceno
nu popolo... 'O vi', comme avimmo fatto nuie... (*allude
alle precauzioni prese per poter parlare, qualche istante
prima*) ca ce mettimmo paura pure 'e parlà!

I presenti approvano.

ADELAIDE   Vocca cusuta, ncoppa e sotto, p' 'ammore 'e
Dio!

GENNARO   ...Popolo e prufessure se mettono allora a di-
spietto. 'E prufessure pigliano pruvvedimente pe' cunto
lloro e 'o popolo piglia pruvvedimente pe' cunto suio.
E a poco a poco tu hai l'impressione ca niente t'appar-
tiene, ca 'e strate, 'e palazze, 'e ccase, 'e ciardine, nun è
robba toia... ma ca è tutta proprietà 'e sti prufessure;
ca lloro se ne ponno serví comme vonno, e tu non si'
padrone manco 'e tuccà na preta. Po', in queste condi-
zioni, se fa 'a guerra. «Chi ha voluto 'a guerra?» «Il
popolo», diceno 'e prufessure. «Ma chi l'ha dichiara-

ta?» «'E prufessure», dice 'o popolo. Si 'a guerra se
perde l'ha perduta 'o popolo; e si se vence, l'hanno vin-
ciuta 'e prufessure. Voi mo dite: ma che c'entra questo
discorso con quello che stavamo dicendo? E c'entra.
Perché il calmiere è una delle forme di avvilimento che
tiene il popolo in soggezione e in istato di inferiorità. Il
mio disegno di legge sarebbe quello di dare ad ognuno
una piccola responsabilità che, messe insieme, diverte-
rebbero una responsabilità sola, in modo che sarebbero
divisi in parti uguali, onori e dolori, vantaggi e svantag-
gi, morte e vita. Senza dire: io sono maturo e tu no!

I presenti hanno ascoltato con attenzione e sembrano
convinti. Soltanto...

PEPPE (*confessa, candidamente*)   Don Genna', io nun ag-
gio capito niente...
GENNARO   E si tu avisse capito, nun ce truvarríemo accus-
sí nguaiate.
AMALIA (*che durante la scena non ha dato soverchio peso
alle parole del marito, occupandosi invece di cose ovvie,
interviene ora per consigliare a Gennaro di mutare ar-
gomento*)   Fatte 'a barba e ferníscete 'e vèstere!

Gennaro ripiglia a insaponarsi il viso.

PEPPE   Don Genna', e per la circolazione delle macchine,
data la mancanza d' 'a benzina, avite pensato niente?
GENNARO (*scherzoso*)   Un altro disegno di legge. Ogni au-
tomobile nove autisti: uno al volante e otto allo spin-
terògeno.

I presenti ridono.
Dal fondo entra Riccardo. Tipo d'impiegato, benestan-
te, modesto e dignitoso. Veste di scuro e porta gli oc-
chiali a stringinaso. Ha un giornale fra le mani, che leg-
gicchia.

RICCARDO   Buongiorno a tutti! (*Si ferma al limitare dell'uscio*).

Gli altri rispondono al saluto rispettosamente.

AMALIA   Buongiorno signuri'. 'O ccafè sta a mumento. V' 'o ppigliate frisco.

RICCARDO   Sí, grazie... Stanotte non ho chiuso occhio. E tengo nu bellu dulore 'e capa... Quella mia moglie quanno sente 'a serena diventa uno straccio. Dopo un'ora e mezza di ricovero siamo tornati a casa, cu' tre chiuove 'e Dio appriesso e... che vuó durmí? Ha seguitato a tremmà comm' a na foglia.

PEPPE   Ma stanotte 'e bombe ll'hanno menate...

RICCARDO (*indicando il giornale*)   Sí... Hanno colpito due palazzi al Parco Margherita e certi fabbricati a Capodimonte...

PEPPE   ... vicino 'o deposito d' 'e tramme!

ERRICO   Gué, ma chiste (*allude ai bombardieri*) accumménciano a fa' overo!

Maria Rosaria dalla destra, con una enorme macchina da caffè, tipo napoletano. Soddisfazione generale.

AMALIA (*ad Amedeo*)   Nzerra 'o vascio e miéttete fore!

Amedeo ubbidisce. Amalia serve il caffè a tutti. Ciascuno, dopo averlo sorbito, paga l'importo.

ERRICO (*schioccando la lingua*)   Complimente, 'onn'Ama', stammatina è adderitto!

GENNARO (*che, frattanto radendosi, s'era messo a parlare con Federico, come concludendo un discorso*)   Bravo! Questo potrebbe essere un altro disegno di legge.

PEPPE   Io stanotte me so' muorto d' 'a paura!

ADELAIDE   Io pe' me, quanno sento 'a serena, qualunque cosa sto facenno, lasso, me piglio a chisto... (*tira fuori dal corpetto un rosario*) e me ne vaco dint' 'o ricovero.

GENNARO   A me mi viene un freddo addosso ed un movi-
    mento nella pancia che basti díreve, devo scappare subi-
    to al gabinetto... Confesso la mia vigliaccheria... quan-
    no sento 'a serena, aggia scappà.

PEPPE (*a Riccardo*) Signurí', ma vuie che dicite? Quanno
    fernesce sta guerra?

RICCARDO   Eh, chi lo può dire...

PEPPE   Ma mo dice ca 'e bumbardamente 'e ffanno cchiú
    forte, ca ce distruggeno 'e città... Che dicite, signurí', ce
    distruggeno a nnuie?

ERRICO   'E ffanno 'e bumbardamente cchiú forte?

FEDERICO   Ce distruggeno?

ADELAIDE   Dice ca méneno 'o vveleno...

GENNARO (*s'è finito di radere; si asciuga il viso con un
    asciugamano; chiede anche lui quasi all'unisono con gli
    altri*) Ce distruggeno?

PEPPE   Ma questa è proprio una guerra fuori natura. Ma
    che ce tràseno 'e ffamiglie, che ce tràseno 'e ccase.

RICCARDO (*mostrando un altro punto del giornale*) E
    adesso chiameranno altre classi!

ADELAIDE   Oh mamma d' 'a Líbera!

AMALIA   Signurí', che dicite? 'E chiammano 'e rifurma-
    te? Stongo tanto npensiero pe' fígliemo Amedeo. Che
    dicite?

RICCARDO   E... chi lo può dire?!

GENNARO (*fissandolo torvo, quasi con disprezzo*) Signurí',
    ma vuie nun sapite niente? Liggite 'e giurnale... Uno
    pure vorrebbe un'assicurazione, un conforto...

RICCARDO (*commiserandolo, con un senso quasi di tenerez-
    za*) Allora io pe' ve fa' piacere avarria dicere ca bum-
    bardamente non ne vèneno cchiú, ca classe nun ne
    chiammano, ca ll'automobile 'e mettono mmiezo n'ata
    vota... Io che ne saccio?

GENNARO   Va bene... Ma voi state vestito scuro...

RICCARDO (*con subitanea irritazione*) E che ce azzecca?
    Chille ca stanno vestute scure sanno 'a guerra quanno
    fernesce e si bombardano o no?

GENNARO (*improvvisamente rispettoso, per riparare*) No...

Ma vuie avit' a che fare con gente superiore a noi... so-
pra l'ufficio...

RICCARDO (*con tono perentorio, come per mascherare un
suo timore*) Io non parlo con nessuno. Non so niente.

PEPPE (*ad Errico*) Va buo'... iammuncenne... Chillo, 'o
signurino nun parla... Va' trova pe' chi ce ha pigliato...
(*A Riccardo*) E fate bene. Di questi tempi è meglio te-
nere la bocca chiusa.

ADELAIDE   Proprio accussí. Che ce ne mporta a nnuie.
Che n'avimm' 'a fa'.

PEPPE   Buona giornata. (*A Federico*) Tu te ne viene, Fe-
deri'?

FEDERICO   Sto venenno. (*Ad Amedeo*) Vienetenne, Ame-
de'.

AMEDEO (*che sarà rientrato poco prima*)   Quanno me pi-
glio stu surzillo 'e cafè... (*Sorbisce in fretta; poi agli al-
tri*) Stàtevi bene.

E parlottando con Federico e Peppe 'o Cricco esce per
il fondo. Errico s'intrattiene fuori nel vicolo, e si mette
a fumare, sbirciando qua e là come chi è pavido di
brutte sorprese...

ADELAIDE (*congedandosi*)   Ce vedimmo cchiú tarde, 'on-
na Ama'. Io vaco a scetà a chella pultruncina... (*Allude
alla nipotina*).

GENNARO (*rientrando nella sua stanzetta a Riccardo*)   Voi
con noi potete parlare. Siamo gente sicura. La pensia-
mo come voi. (*Scompare*).

RICCARDO (*sottovoce, con circospezione*)   Donn'Ama', il
burro lo avete avuto?

AMALIA   Avit' 'a vení cchiú tarde. Ce sta na perzona ca
me l'ha prummiso. Ma sapite comm'è... Chille 'o ttrova-
no a vénnere cchiú caro e nun se fanno vedé cchiú. Si
m' 'o pporta è rrobba vosta. Vuie sapite ca nuie nun
l'ausammo. Primma pecché nun ce piace e po'... costa
accussí caro... E chi 'o pputarría accattà...

RICCARDO (*amaro*)   Già, perché voi non ci guadagnate
niente sul burro.

AMALIA (*offesa, sostenendo il giuoco*)   Signuri'... Si dicite
accussí vo' di' ca nun me ne ncarico cchiú... Io me ne
sono occupata nzino adesso, perché saccio ca tenite 'e
ccriature. Ma senza nessun interesse da parte mia, si no
chella Madonna... (*In questo momento appare Genna-
ro, già in ordine, con panciotto e cravatta; si avvicina
ad un punto della scena per prendere la giacca che sarà
appoggiata sulla spalliera di una sedia. Amalia che ave-
va alzato il braccio destro per giurare verso l'immagine
della Madonna del vicolo, dopo un attimo di esitazione,
come per cercare l'oggetto da offrire in olocausto, nel
vedere il marito, subitamente esclama*) nun m'avess' 'a
fa' vedé cchiú a marítemo! (*Gennaro si ferma interdet-
to e per un buon tratto rimane come impietrito nel ge-
sto in cui si trovava; poi, «con una santa pazienza» e
mormorando qualche cosa d'incomprensibile, che, cer-
tamente, sarà un «magliecare» contro l'incauto giura-
mento della moglie, prende la giacca e rientra nella sua
cameretta. Amalia ha preso, frattanto, dei pacchi dal
materasso. Li porge a Riccardo*) Questo è *il* zucchero
che mi cercàsteve. E chesta è 'a ciucculata. (*Mostrando
un terzo pacco*) Chistu pacco ccà, poi, è 'a pastina bian-
ca... Tutto viene... (*Finge di fare un conto e di non rac-
capezzarsi fra ipotetiche cifre; poi*) Aspettate, aggia tè-
nere 'a carta ca m'ha purtata 'a perzona, la quale mo
vene pe' se piglià pure 'e solde... (*Rovista un attimo fra
le cianfrusaglie che sono sul comò, prende un pezzo di
carta spiegazzata; finge di leggere*) Due chili di zucche-
ro... Un chilo di polvere di *cacavo*... Dieci pacchetti di
pastina bianca. Po' ce sta 'a rimanenza d' 'a settimana
passata... (*Quasi con reticenza*) Sono giusto... tremila e
cinquecento lire!
RICCARDO (*nell'udire la cifra, impallidisce: ha un attimo di
esitazione; si riprende e con tono di suadente dolcez-
za*)   Vedete, donn'Ama'... (*Accenna ad un mezzo sorri-
so bonario per mascherare dignitosamente la sua indi-
genza*) In questo momento non ho disponibilità. È sta-
ta mia moglie indisposta... e so io quello che mi è co-
stata... Con tre bambini. (*Annuvolandosi*) 'A fine 'o

mese faccio i capelli bianchi... Lo stipendio è quello che
è... Qualche economia che avevamo, col costo della vi-
ta se n'è andata in fumo... e capirete...

AMALIA (*riprendendo i pacchi dalle mani di Riccardo, con
molta naturalezza*) Ma comme... vuie tenite 'a pro-
prietà?...

RICCARDO Ci ho la casetta dove abito, che comprai a ra-
te, in tanti anni di lavoro e di stenti; e due apparta-
mentini a Magnocavallo (*ironico*): tengo 'a proprietà!
E sapete pe' quanto 'e ttengo affittate? Uno duecento e
l'altro trecento lire al mese. Me l'aggia vénnere? E con
quale coraggio tolgo quel poco ai miei figli? (*Si passa
una mano sulla fronte come disponendosi a un immane
sacrificio, cava di tasca un minuscolo pacchetto fatto di
carta velina, legato con un nastrino; amorevolmente lo
apre e ne mostra il contenuto ad Amalia*) Ho portato
questo orecchino di mia moglie... Me lo hanno apprez-
zato cinquemila lire...

AMALIA (*mettendo a sesto i capelli, per ostentare indiffe-
renza*) Tutt' 'e dduie?

RICCARDO (*preoccupato*) No. Uno solo. L'altro ce l'ho
pegnorato. (*Abbassa lo sguardo vergognoso*).

AMALIA E... lassatemmíllo... Io ce 'o faccio vedé a sta
perzona. Pò essere ca se cuntenta...

RICCARDO Devo pagare tremila cinquecento... Resterebb-
bero millecinquecento lire... Me le conservate voi...

AMALIA Si restano, v' 'e ccunservo... (*E preso l'involti-
no di Riccardo, lo serba in seno*).

RICCARDO E mi volete dare la roba?

AMALIA (*strisciante e consegnandogli i pacchetti*) Com-
me no... E vuie site 'o patrone... Anzi, dimane aggi' 'a
avé cierta carne 'e vitello... Ve n'astipo nu bello chilo...

RICCARDO A domani, allora... (*Ripone i pacchetti in una
borsa di pelle che avrà con sé, mascherando il tutto con
il giornale*).

AMALIA Ova fresche ve ne servono?

RICCARDO Se ci sono... Sapete, per i bambini...

AMALIA Dimane v' 'e ffaccio truvà...

RICCARDO Grazie e buongiorno (*Esce per il fondo*).

GENNARO (*compare dalla sua cameretta, completamente ve-
stito, prende il cappello che si troverà attaccato ad un
chiodo infisso nel muro e spolverandolo con il fazzolet-
to, si astrae dietro un suo pensiero. Siede, quindi, a de-
stra della scena*)   Ho capito una cosa, Ama'... Questa
vita di pericoli che noi facciamo, sempre con la preoc-
cupazione di essere arrestati, pecché tu è inutile ca me
cunte storie, ccà nun è sulamente 'o fatto d' 'a tazzulel-
la 'e cafè... Io veco troppo muvimento d' 'a matina 'a
sera... Burro, riso, pasta bianca, fagiole... Ama'...
AMALIA (*pronta per tagliar corto*)   T'aggio ditto tanta vo-
te ca nun è rrobba mia... M' 'o ppòrtano ccà e io faccio
un piacere a quacche canuscente...
GENNARO   Accussí, per gli occhi celesti color del mare?...
AMALIA (*gridando*)   Io non abbusco niente!
GENNARO (*con lo stesso tono, rifacendola*)   E allora nuie
comme campammo? Famme capí stu miraculo comme
succede. Magnammo cu' 'a tessera? Ma a chi 'o vvuó fà
credere? È in mala fede chi crede na cosa 'e chesta...
Magnammo cu' 'a tessera... E nun sarríemo già cadaveri
scheletriti colore avorio cinese? Io nun abbusco cchiú
niente, pecché a ppoco 'a vota levano tutt' 'e tramme 'a
miezo... 'O «tre» abulito, 'o «cinche» abulito... 'o «sí-
dice» abulito... (*Allude ai numeri delle vetture tranvia-
rie*) Licenziamenti, aspettative... Stiamo piú della metà
dei tranvieri a spasso...
AMALIA (*ponendogli il problema perché lo risolva lui*)   E
allora che s'ha da fa'?
GENNARO   E si nun me faie parlà. Stevo dicenno che ave-
vo capito na cosa... E mo nun me ricordo. (*Resta come
assorto; poi d'improvviso*) Ah sí... 'A tessera... Dun-
que... Se con la tessera nun se pò campà... (*Perde di
nuovo il filo del suo pensiero; se ne adonta; mormora*)
Sango d' 'a Marina, io avevo capito... Avevo capito pro-
prio come si deve fare per vivere dignitosamente, sen-
za ricorrere a questo guaio della borsa nera... (*Trova il
concetto*) Ah! Se colla tessera nun se pò campà, allora
si deve ricorrere alla borsa nera... Si deve vivere col pe-
ricolo che ti arrestano, che vai carcerato... (*Non sa piú*

dove parare con le sue argomentazioni; cedendo ad una ineluttabilità, dichiara con un tono umano, comprensivo) Ama', stàmmece attiente... (*Si alza e fa per andare*).

AMALIA E che faie, te ne vaie?

GENNARO Faccio doie chiacchiere for' 'o vico... Piglio nu poco d'aria... Stanotte, doie ore 'e ricovero, tengo l'umidità dint' a ll'ossa... Se mi volete, mi chiamate...

ERRICO (*che ha seguito la scena, ferma Gennaro sotto la porta di fondo*) No, pecché io ll'ata notte purtaie duie quintale 'e cafè...

GENNARO (*spaventato*) Duie quintale?

ERRICO (*dando un'occhiata fuori del vicolo*) Già... E donn'Amalia m'ha fatto 'o piacere 'e... (*Come dire, col gesto: lo ha nascosto*).

GENNARO (*con rimprovero*) Don Erri' ma mo pazziamo a fa' male, mo. Vuie me facite ji' ngalera... Quanno è all'ultimo d' 'e cunte, 'o responsabile songh'io... Voi siete solo ed è tutt'altra cosa. Ci dobbiamo aiutare di questi momenti, aiutiamoci pure... E vuie ogne cosa purtate ccà... E na vota, e ddoie... Don Erri', io ho paura... Chiste pazzéano cu' 'o cunfino, cu' 'a galera... Per dare un esempio, chiste nun guardano nfaccia a nisciuno... (*Allude ai governanti. Tace. Si passa una mano sulla fronte e, scrutando l'ambiente, dice ad Amalia*) Addó ll'he miso?

AMALIA (*con semplicità*) Sott' 'o lietto. 'O sicondo matarazzo è tutto cafè.

GENNARO (*si avvicina al letto, palpeggia il materasso in questione; esclama*) Sia fatta 'a vuluntà d' 'a Madonna! Sotto ce sta 'o riesto... Pasta bianca... Olio... Formaggio... (*D'improvviso, come ricordando, ad Errico*) Don Erri', quelle pezze di formaggio che avete portate... se le potete smaltire... Perché la notte non si respira.

ERRICO Don Genna', nu poco 'e pacienza. Io cu' sta partita 'e furmaggio aggio passato nu guaio...

GENNARO (*deciso*) Pure si ce avit' 'a perdere quacche cosa... Ma se ne guadagna salute... Sapete, mo 'a sera fa

nu poco 'e frischetto e quanno se nzerra 'o vascio non
si resiste... Io vi giuro ca 'e vvote, 'e notte, quanno sen-
to l'allarme, dico: meno male, la liberazione!

ERRICO   Vi ripeto: un poco di pazienza.

GENNARO (*tornando al discorso di prima e mostrando di
nuovo il letto*)   Zucchero, farina... Nzogna... (*Grattan-
dosi la nuca preoccupato*) Abbiamo fatto il centro del-
l'ammasso... (*E si avvia di nuovo verso il fondo*).

ERRICO (*insistendo*)   Pirciò ca vuie nun v'avarrissev' al-
luntanà... Pecché, caso mai... (*Fa un gesto come dire:
«si ricorre ai ripari», battendo piano le due palme*).

GENNARO   Mi metto alla presenza di Dio e facimmo 'o
piezzo 'e lavoro... Don Erri', ma vi ripeto: levàteme sta
rrobba 'a dint' 'a casa... (*Alla moglie*) Io stongo 'o pun-
tone... Si sentite 'a serena, l'allarme... nun pensate a
me... Ognuno per sé, Dio per tutti... (*Voltando le spal-
le per uscire*) ca si no succede ca pe' ce ji' truvanno, pas-
sammo nu diciassette... (*Esce*).

AMALIA (*ad Errico*)   E quanto v'aggia da' 'e parte mia?

ERRICO (*dando una toccatina alla cravatta, galante*)   Non
vi preoccupate.

AMALIA (*sbirciandolo*)   E che d'è? M' 'o rrialate? (*Allude
alla merce*).

ERRICO   Non sono regali che vi posso fare perché non mi
trovo in queste condizioni... Io ve desse 'a vita mia...
Ma solde 'a mano a vvuie nun ne voglio. Quando l'a-
vrete piazzata, si toglie la spesa iniziale, e l'utile è rrob-
ba vosta.

AMALIA (*lusingata piú per il tono insinuante, che per la
promessa del guadagno*)   Che c'entra? Sempe a vvuie
spetta la mmità... (*Prende il pacchetto col brillante e lo
mostra all'uomo*) Guardate stu ricchino.

ERRICO (*mette a luce la gioia per osservarla da intendito-
re*)   Non c'è male.

AMALIA   Quanto può valere?

ERRICO   Fatemi vedere l'altro.

AMALIA   No... E quello l'altro sta pegnorato...

ERRICO   Si dovrebbe spegnorare per vedere se le pietre
sono uguali. 'A polizza nun m' 'a putite da'?

AMALIA   Eh... no... Aspettate, ogge che d'è?
ERRICO   Lunedí.
AMALIA (*sicura del fatto suo*)   Giovedí v' 'a dongo.
ERRICO   Ecco. L'oggetto si spegnora e si può stabilire il
   valore... (*Riconsegna la gioia ad Amalia*).
AMALIA   Ma quatto cinchemila lire ce vale?
ERRICO   State al coperto. (*Alludendo al caffè*) L'avite mi-
   so dint' 'o matarazzo 'e sotto?
AMALIA (*avvicinandosi al letto e sollevando un lembo del-
   la coperta*)   Ccà, 'o vvedite? Nun ce pare proprio nien-
   te... Aggio fatta na fatica... Chist'angolo ccà... (*lo mo-
   stra*) l'aggio chiuso cu doie ciappette automatiche, in
   modo che al momento, a sicondo ca me serve, ne piglio
   nu chilo, duie chile... Se mette 'a mano... (*Errico intan-
   to si è avvicinato alle spalle della donna e ha cercato di
   raggiungere con la sua, la mano di lei. La stringe. Ama-
   lia, turbata, si difende, ma senza ribellarsi*) ...e po' se
   leva. (*Delicatamente si libera dalla stretta, rimettendo
   a posto come un oggetto, la mano di Errico*).
ERRICO (*risoluto*)   E po' se mette n'ata vota! (*Abbraccia
   la donna e cerca di baciarla*).
AMALIA (*divincolandosi, ma sempre con una certa adesio-
   ne e comprensiva soprattutto dello stato di eccitazione
   dell'uomo*)   Embè, don Erri'... E ghiammo... E quanno
   maie avite fatto chesto...
ERRICO (*come tornando alla realtà, ma senza liberare la
   donna*)   Donn'Ama', perdunàteme... Nun ve lasso, si
   vuie nun me perdunate...
AMALIA (*giustificandolo*)   E che c'entra... A chiunque pò
   capitare un momento di *fosforescenza*...
ERRICO   Grazie, donn'Ama', grazie... (*Le bacia ripetuta-
   mente tutt'e due le mani*).

Maria Rosaria, dalla destra, entra e osserva, puntando
le braccia sui fianchi, come in atteggiamento di sfida.
Errico scorge la ragazza, abbandona di scatto le mani di
Amalia e assume un atteggiamento di voluta indifferen-
za. Amalia, notando il mutamento subitaneo di Errico,
istintivamente si volge verso la «vinella» e scorge la

ragazza. Ha un moto di disappunto; poi si controlla, si rimette in ordine i capelli e affronta la figlia.

AMALIA   Tu che vuó?

MARIA ROSARIA (*fredda ed ironica*)   Aggia mettere na capa d'aglio dint' 'e fasule.

AMALIA   E nun ce 'a sai mettere?

MARIA ROSARIA   Nun ce sta.

AMALIA   E fattélla da' 'a donna Giuvannina.

MARIA ROSARIA (*si avvia lentamente per il fondo. Arrivata sulla soglia del «basso» si ferma e con aria ricattatrice*)   Io stasera vaco 'o cinematografo. (*Esce*).

AMALIA (*a Errico rimproverandolo*)   'O vvedite? Chella mo chi sa 'a guagliona che s'è creduto...

AMEDEO (*dall'interno con voce eccitata*)   Ma io 'a scasso 'a faccia!

ADELAIDE (*anch'essa dall'interno, come per calmare il giovane*)   E va buono, meh, è cosa 'e niente...

AMEDEO (*entra agitatissimo, seguito da Adelaide che si ferma sotto la porta di fondo*)   E po' ve faccio avvedé...

AMALIA   Ch'è stato? Tu che faie, ccà, a chest'ora?

AMEDEO   'O nepote 'e Palluccella... Chillo ca se ne fuiette cu' 'a figlia 'e don Egidio 'o scarparo... Simme amice... M'è venuto a dicere ca n'ora fa s'è ghiuto a piglià na tazza 'e cafè dint' 'o vascio 'e donna Vicenza... Doppo nu poco ch'è fernuto 'appicceco cu' vvuie... Ce steva pure donn'Adelaide... (*Alla donna*) Donna Adela', cuntate...

ADELAIDE (*avanzando verso Amalia, con l'aria ipocrita di chi vuol mitigare*)   Donna Vicenza diceva... (*Si piazza al centro della scena, imitando gesto e voce di colei per meglio descriverne la chiassata*) «Ma che d'è? Che s'ha pigliata 'a privativa? Sulamente essa ha da vvénnere 'o ccafè? Chella piezza 'e chesta... Chella piezza 'e chella... Ma si 'o ccafè nun 'o ffaccio cchiú io, nun ce 'o ffaccio fa' cchiú manco a essa... 'E ccunuscenze ca ten'essa 'e ttengo pur'io... E s'ha da perdere 'o nomme 'e Vicenza Capece si pe' tutt'ogge nun le cumbino 'o servizio!» S' 'a miso 'o scialle, ha chiuso 'o vascio e se n'è ghiuta.

AMEDEO   Chella certamente è ghiuta a purtà 'a palomma ncopp' add' 'o brigadiere d' 'a Squadra Mobile.

AMALIA (*con apparente calma*)   E va buono, tu mo te faie vení na cosa... Quanno vene 'a Squadra, ccà ce trova...

AMEDEO   'O ssaccio... Ma io v'avev' 'avvertí?

AMALIA   Chesto he fatto buono. Da' na voce a pàteto. Sta 'o puntone 'o vico. Quanno serve se ne va!

AMEDEO (*corre in fondo e chiama a distesa nel vicolo*) Papà! (*Lo scorge; accompagna la parola col gesto*) Venite! (*Ad Amalia*) Còra 'e Sòrice sta vicino 'o vascio 'e donna Fortunata... Quanno s'appiccia 'a pippa è segno ca 'a Squadra sta dint' 'o vico...

AMALIA   Tu nun te mòvere 'a ccà!

MARIA ROSARIA (*dal fondo*)   Na capa d'aglio, doie lire... (*La mostra*).

AMALIA   Guè, a te, sciuògliete 'e capille e miéttete 'a sculletella nera... (*È lei stessa apre il tiretto d'un mobile, prende uno scialletto nero e se lo mette sulle spalle*).

MARIA ROSARIA   Ma quanno, mo?

AMALIA (*sgarbata*)   E quanno, dimane? Fa chello che t'aggio ditto!

MARIA ROSARIA (*prende una sciarpetta nera, che si troverà in un punto della scena e si avvia verso destra*)   Quann'è 'o mumento me chiammate. (*Esce*).

AMEDEO   Io sto fore... (*Indica il vicolo*) Si s'appiccia 'a pippa (*allude a Còra 'e Sòrice*) v' 'o ddico... (*Si pone in vedetta, fuori*).

GENNARO (*entrando dal fondo, ignaro*)   Ch'è stato, neh?

AMALIA (*grave e con un tono che non ammette repliche*) Appripàrete!

GENNARO (*sgomento e conscio della drammatica situazione*)   Neh? Ih che piacere! (*Ad Errico*) 'On Erri', io v' 'avevo ditto... Ngalera iammo a ferní tuttu quante! (*Entra in fretta nella sua «cameretta»*).

AMALIA (*agitatissima, ad Amedeo*)   Chiamma pure a Pascalino 'o pittore e 'O Miezo Prèvete.

AMEDEO   L'aggio iute a chiammà prima 'e vení ccà. Mo vèneno.

ERRICO (*padrone dei suoi nervi e del modo di come dovrà
    comportarsi in simili frangenti, ad Amalia*) Donn'A-
    ma', non v'agitate... (*Eroico*) Io non me ne vado. La vo-
    stra sorte è pure la mia. Io me metto ccà (*indica un
    punto della scena*) e faccio 'o parente!

AMEDEO (*scorgendo il segnale convenuto dice con tono de-
    finitivo*) Còra 'e Sòrice s'ha appicciata 'a pippa!

GENNARO (*apparendo in cima al suo sgabuzzino*) S'ha ap-
    picciat' 'a pippa?

AMEDEO (*alludendo a donna Vicenza*) Chella piezza 'e ca-
    rogna ha mantenuto 'a parola! (*Guarda ancora fuori un
    po' rinfrancato*) Menu male! Sta venenno pure Pascali-
    no 'o pittore cu' 'O-Miezo Prèvete!

A questo punto tutti si danno da fare in grande agitazio-
ne, per preparare l'ambiente a qualcosa di eccezionale.

AMALIA (*furibonda, verso la «vinella»*) Mari', lassa 'e fa-
    sule e ghietta 'o vveleno ccà! (*Maria Rosaria entra e si
    dà da fare anch'essa per la scena*). Gennari', fa' ampres-
    sa!

GENNARO (*dall'interno della sua cameretta, come chi per la
    fretta non riesca a compiere una determinata azione*)
    E... e... mo... Ccà facimmo Fregoli! Chiammate a Pa-
    scalino 'o pittore!

AMEDEO Sta venenno! Ce sta pure 'O Miezo Prèvete!

Infatti entrano dal fondo. Sono due loschi personaggi.
Senza parlare prendono posto al lato sinistro del letto,
di fronte al pubblico. Prima di sedere legano sui fianchi
due grandi grembiuli neri coprendosi la testa con dei
paramenti monacali, che avevano portati con loro, rav-
volti in fretta. Amalia, nel frattempo, aiutata da Maria
Rosaria, Amedeo, Adelaide ed Errico, dispone intorno
al letto quattro candelabri con ceri accesi.

AMALIA (*incitando ancora il marito a sbrigarsi*) Gennari',
    te spicce?

ADELAIDE Don Genna', facite ampressa!

GENNARO (*compare lentamente. Indossa una lunga camicia bianca da notte. Un grosso fazzoletto bianco, a «scolla», piegato diverse volte trasversalmente gli parte di sotto il mento e finisce a doppio nodo al centro della testa. Egli va infilandosi un paio di guanti di filo bianco, mentre muove verso il letto*) Ma vedite che s'ha da fa' pe' magnà. (*Ad Amalia e un po' a tutti i presenti, che col gesto gli fanno premura, con tono esasperato*) 'A capa tosta, tenite... 'a capa tosta!

ADELAIDE Don Genna', è mumento chisto?

AMALIA Iett' 'o vveleno a te mettere dint' 'o lietto!

GENNARO 'A faccia accussí... (*la indica gonfia per gli schiaffi*) te facesse! (*È giunto accanto al letto e con atteggiamento rassegnato attende l'ultimo tocco che renderà infallibile la finzione. Infatti Amalia lo raggiunge e con un piumino impregnato di cipria rende cadaverico il volto del marito. Poi lo aiuta a mettersi a letto, mentre Maria Rosaria prende dei fiori, che si troveranno davanti ad un santo sulla «cifoniera» e li getta sulla coperta addosso al corpo del padre. Ognuno prende ordinatamente posto, come se fosse già concertato, formando il piú desolato e tragico quadro. Amedeo chiude i battenti di legno e il telaio a vetri della porta di fondo, con una mano si scompiglia i capelli e si getta in posa drammatica ai piedi del letto. Maria Rosaria prende posto in ginocchio accanto alla madre, a sinistra, in primo piano, addossata alla quinta. Adelaide, invece, è a destra nella stessa posizione. Stringe fra le mani un rosario. Errico, scamiciatosi e tratto di tasca un fazzoletto, siede in fondo a destra, accanto alla porta d'ingresso. Gennaro, seduto in mezzo al letto, in attesa, ammicca ai presenti. Lunga pausa. Poi Gennaro, preoccupato*) Ma è sicuro?

AMEDEO Comme, no? (*Pausa*).

GENNARO Mo vide che avimmo fatto tutta sta funzione e nun vene nisciuno!

AMEDEO (*escludendo l'ipotesi*) Chillo... s'ha appicciata 'a pippa!

GENNARO (*ammettendo una probabile svista di Còra 'e Sò-*

rice, di cui altre volte, evidentemente, è rimasto vitti-
ma) Io, 'a settimana passata, stette n'ora e mmeza
dint' 'o lietto...

Tutti fanno un gesto come dire: «Embè, che ce vulite
fa'». Altra pausa.

ADELAIDE (*iniziando un discorso, visto che l'attesa si pro-*
lunga) Aggio ditto accussí, donn'Ama'...

D'improvviso si ode battere ripetutamente allo stipite
esterno della porta di fondo. Tutti si emozionano.

AMEDEO (*con un soffio di voce)* 'E vvi' lloco!
GENNARO (*al colmo dello spavento, ad Amalia)* Questa è
stata una spia ferma!
AMALIA   Còccate!

Gennaro si stende sotto le coltri, assumendo l'aspetto
di un vero cadavere. Adelaide comincia a recitare le sue
preghiere, con gli occhi rivolti al cielo. Pascalino 'o pit-
tore e 'O Miezo Prèvete mormorano parole sconnesse
che vogliono sembrare orazioni funebri. Gli altri pian-
gono sommessamente. I colpi all'esterno si ripetono
piú insistenti. Errico apre l'uscio e appare il brigadiere
Ciappa seguito da due guardie in borghese.

CIAPPA (*come parlando ad altri agenti fuori del basso)*
Vuie aspettate lloco ffore. (*È un uomo sui cinquant'an-*
ni, capelli brizzolati, andamento rude e sguardo acuto.
Conosce il fatto suo. La pratica e l'aver conosciuto du-
rante la sua carriera uomini e cose gli hanno temprato
l'animo. Egli sa benissimo che, specialmente a Napoli,
in certi determinati casi bisogna chiudere un occhio.
Entra, osserva la scena e senza cavarsi il cappello, dice
quasi fra sé con un mezzo risolino) E che d'è, neh? (*Si*
dà una lisciatina ai baffi e, guardando intorno, ironica-
mente) E cchesta è epidemia! N'ati tre muorte 'e ttru-
vàiemo aiere ncoppa Materdei... Duie 'e ttruvàiemo a

Furcella... E mo stanno a Poggioreale tutt' e ccinche...
(*Parlando un poco a tutti, come per deciderli ad abbandonare la finzione*) Ma no Poggioreale campusanto...
Poggioreale carcere. (*Assumendo il suo tono professionale*) Iammo belle, guagliu', io nun voglio fa' male a nisciuno... (*battendo forte la mano sul tavolo*) ma sangue di Giuda non voglio essere fatto fesso. (*Poi al «morto»*) Guè, a te, sorgi Lazzaro, si no te metto 'e mmanette!

AMALIA (*disfatta*) Brigadie', p' 'ammore 'a Madonna...
Chillo marítemo è muorto stanotte a 'e ddoie e trentacinche...

CIAPPA   Nun te scurdà 'e cinche minute!

AMEDEO (*piangendo all'unisono con la sorella*) Papà mio!
Papà mio!

Le due «monache» ora mormorano preghiere che sembrano delle bestemmie.

ADELAIDE (*recitando le sue orazioni*)
Diasillo, diasillo...
Signore, pigliatillo...

Ciappa la sbircia.

ERRICO (*ad un'occhiata del brigadiere si alza e mostrando il letto come per impietosire Ciappa*) Nu piezzo d'ommo 'e chella manera...

CIAPPA (*tentennando il capo*) Nu piezzo d'ommo, eh?
(*Scattando*) Ma insomma nun 'a vulimmo ferní cu' sti messe in iscena? (*Nauseato*) Ma che serietà 'e paese è chesta? Ma che ve credite ca scennimmo d' 'a muntagna?

ADELAIDE (*insistente, come sopra*)
Diasillo, diasillo...
Signore, pigliatillo...

CIAPPA (*deciso*) Aggio capito, va'! Ccà sta 'o muorto e 'o schiattamuorto 'o facc'i'! Mo te faccio sòsere io 'a copp' 'o lietto! (*E muove risoluto verso Gennaro*).

AMALIA (*lo ferma con un gesto disperato*)   No, brigadie'!
(*Gli si aggrappa alle ginocchia, sciolta in lagrime. A
questo punto l'attrice dovrà raggiungere l'attimo piú
straziante e drammatico, senza nessuna venatura di ca-
ricatura, un po' per la perfezione della finzione che rag-
giunge sempre il nostro popolo, e un po' pure perché il
pericolo è grosso*) Nun 'e ffacite sti suspiette! Maríte-
mo è muorto overamente! Nuie nun simme gente 'e
chesto! Chi v'ha nfurmato sarrà quaccheduno che ce
vo' male! (*Si alza e, padrona della scena, gestisce larga-
mente mostrando a Ciappa il quadro disperato*) Nun 'o
vedite 'o strazio 'e sta famiglia? Nun ve fanno pena
chilli duie guagliune ch'hanno perzo 'o pato? (*Con vee-
mente disprezzo*) E si nun ve fanno pena, si nun sentite
pietà pe' sta disgrazia che ha cugliuta 'a casa mia, accu-
stàteve, sinceràteve, tuccàtelo 'o muorto, si tenite 'o cu-
raggio! (*Il suo tono ha quasi un'aria di sfida*) Cummet-
títelo stu sacrilegio, si nun ve mettite appaura d' 'a
scummunica! (*Ora spinge quasi decisamente verso il
letto il brigadiere, soprattutto perché s'accorge che
Ciappa, un po' impressionato, esita a camminare*) Veni-
te... Cammenate...
CIAPPA (*impressionato sia dal tono drammatico della sce-
na che dalla perfetta rigidità di Gennaro*)   Ch'aggi' 'a
cammenà? Si chillo è muorto overamente, chi 'o tocca?
Io nun 'o cunosco!
MARIA ROSARIA (*piangendo*)   È muorto, brigadie'... È
muorto, papà...
ADELAIDE (*visto che Ciappa quasi disarma, insiste, petu-
lante*)
     Diasillo, diasillo...
     Signore, pigliatillo...

Ciappa la sbircia di nuovo, quindi guarda Errico che si
alza come prima, mostrando il «morto».

ERRICO   Nu piezzo d'ommo 'e chella manera...
CIAPPA   Ma sango d' 'a Marina chiste hann' 'a fa' sceme
'a gente! (*Non si rassegna all'idea di poter essere giuo-*

cato e pensa di sfidare i presenti, seguendo il loro stesso gioco) Embè, vuie dicite ca è muorto, e io ce credo. E ce credo tanto, ca m'è venuto 'o gulío 'e ve da' nu poco 'e cunforto. M'assetto, ve faccio cumpagnia e tanno me ne vaco quanno se n'è ghiuto 'o muorto! *(Con dispetto prende una sedia e siede al centro della scena, accanto al tavolo).*

ADELAIDE *(con malcelato sguardo d'odio verso Ciappa e con dispetto)*

Diasillo, diasillo...

Signore, pigliatillo...

(Le due «monache» accentuano le loro preghiere blasfeme, in modo piú che percepibile. La finzione degli altri continua non alterata, solamente con in piú qualche fuggevole scambio d'intesa tra l'uno e l'altro. Lo sgomento reale è però palese. Si ode solamente la lenta cantilena di Adelaide).

Cavaliere della Croce,

ascoltate la sua voce...

Per i vostri gran tormenti

ascoltate i suoi lamenti...

per la tua somma potenza

dacci un segno di clemenza...

dacci un segno di clemenza...

(Nel proferire l'ultimo versetto accentua un'intenzione realistica applicata alla situazione).

Si ode in lontananza, cupo e sinistro, il sibilo della sirena d'allarme, seguito immediatamente dal classico tramestio e vocio del vicolo. Tutti si guardano costernati, interrogandosi. Ognuno aspetta dall'altro la soluzione sul da fare. Le «monache» «pregano». Dall'interno il mormorio cresce. Si odono voci distinte. Le parole saranno press'a poco queste: «Nannine', porta 'e ccriature!» «E non spingete». «Calma, calma...» «'O fiasco cu' ll'acqua!» «Presto». «Aprite la porta del ricovero!» «Ma stu capo palazzo che fa?» «Che ha da fa'? Sto qua!» «Signo', 'o cane appresso nun v'avit' 'a purtà, quanta vote v' 'aggia dicere». Intanto il numero regola-

mentare dei sibili ad intermittenza della sirena si è
completato. Segue il silenzio terrificante dell'attesa.

AMALIA (*accomodante*) Brigadie', nuie vicino tenimmo nu
buono ricovero... Nun facimmo mo ca, pe' puntiglio...
CIAPPA (*accendendo una sigaretta, con freddezza*) Si ve
mettite appaura ve ne putite ji'! È peccato a lassà 'o
muorto sulo. 'O muorto 'o survegl'io! (*E fuma beata-
mente*).

Le due «monache» si alzano preoccupate e imitando
voci femminili si congedano.

'O MIEZO PRÈVETE Noi andiamo!
PASCALINO Andiamo, andiamo!

E fuggono per il fondo, senza preoccuparsi che dalla
parte posteriore lasciano vedere i pantaloni rattoppati.

CIAPPA (*al quale non è sfuggito quel particolare, sempre
seguendo il suo gioco, con ironia*) E chesto pure m'a-
vev' 'a mparà: 'e mmonache cu' 'e cazune! (*Si odono i
primi colpi della «contraerea». Ciappa verso Gennaro*)
Muorto, muo', siente a me: súsete e ghiammuncénne 'o
ricovero tuttu quante!
PRIMA GUARDIA (*invaso dal panico*) Brigadie' nun dammo
audienza.
CIAPPA (*cocciuto*) Si te miette appaura, vatténne!

Ogni tanto in lontananza si ode il tonfo sordo delle pri-
me bombe che cadono sulla città. Amalia, in preda al
terrore, si addossa al muro di sinistra, stringendo a sé i
figli, come per proteggerli. Errico e Adelaide cercano
scampo addossandosi ad altre pareti.

PRIMA GUARDIA (*a un tonfo piú forte*) Brigadie'... (*Deci-
so*) Io me ne vaco! (*E fugge, seguito dalla seconda guar-
dia*).
CIAPPA (*mentre i tonfi si susseguono cupi, sinistri e ormai*

piú vicini – con apparente calma, sempre parlando a Gennaro) Chesta bomba ha da essere cchiú vicina... Se sentono pure gli apparecchi... Cheste so' mitragliatrice... *(Un tonfo piú prossimo e violento).* Ah! Ah! E si cade na bomba ccà ncoppa stammo frische. Cheste nun so' ccase, so' sfugliatelle! *(Il bombardamento diviene violentissimo. Le esplosioni si susseguono a ritmo accelerato e qualcuna di esse fa tremare i battenti della porta del basso. Il brigadiere rimane fermo e impassibile, sempre osservando Gennaro. Il «morto» difatti è piú impassibile e fermo di lui. Poi la contraerea diminuisce d'intensità. I tonfi si fanno piú radi e lontani. Infine, silenzio. Ciappa, rinfrancato dall'ormai scampato pericolo, a Gennaro)* Sicché tu si' muorto overamente: e comme muorto 'e bombe nun te fanno impressione... *(Gennaro non batte ciglio).* Si' nu muorto capetuosto! *(Ora Ciappa si è alzato dalla sua sedia, si è avvicinato alla spalliera del letto e parla al «morto» direttamente, appoggiandosi come su un davanzale)* Súsete! Siente a me, súsete ca è meglio pe' te! *(Per un attimo perde la calma e scuote la spalliera con tutte e due le mani)* He capito: súsete?! *(Gennaro è insensibile: piú «morto» che mai. Ciappa fa un giro intorno al letto e col bastone solleva un lembo della coperta scoprendo al di sotto ogni ben di Dio: le piú svariate e introvabili derrate alimentari)* Vedite ccà: vedite quantu bene 'e Dio! *(Dopo una pausa si udrà internamente un unico suono prolungato della sirena per il «cessato allarme». Nel vicolo ricomincia il tramestio e il frastuono di voci confuse: «È fernuto!» «Addó sta Nanninella?» «Luvateve 'a miezo, chesta che schifezza?» «Gennari'!» «'E chi è sta scarpetella?» «L'incendio sta llà bascio!» «È caduto nu palazzo 'o vico appriesso!» «'E pumpiere!» Si ode la sirena dell'automezzo dei vigili del fuoco. Ciappa ormai guarda Gennaro con ammirazione)* Bravo! Overamente bravo! Tu nun si' muorto, 'o ssaccio. Ne so' sicuro. Sott' 'o lietto tiene 'o contrabbando. Ma nun t'arresto. È sacrilegio a tuccà nu muorto, ma è cchiú sacrilegio a mettere 'e mmane ncuollo a uno vivo comme a te. Nun t'arre-

sto! (*Pausa*). Ma damme 'a suddisfazione 'e te mòvere.
Nun faccio manco 'a perquisizione... (*Gennaro eviden-*
temente non presta fede a queste profferte lusinghiere.
Ciappa insiste) Si te muove, nun t'arresto... Parola d'o-
nore! (*Per Gennaro la parola d'onore basterebbe, ma*
la promessa che egli attende è ben altra. Infatti Ciap-
pa la intuisce, non esita a formularla. Serio e con tono
definitivo) E nun faccio manco 'a perquisizione! Parola
d'onore!

GENNARO (*pur cedendo, mette Ciappa sull'avviso dell'amor*
proprio ove mai la «parola d'onore» non venga mante-
nuta. Parla)   E allora si m'arrestate site na carogna!

CIAPPA (*soddisfatto di avere capito il gioco fin dall'inizio e*
di non essersi sbagliato, mantiene la sua parola)   'A
parola è una: nun t'arresto. Ma ricòrdate ca io nun so'
fesso!

GENNARO (*mettendosi a sedere sul letto, con un gesto di*
soddisfazione)   E io nemmeno, brigadie'!

CIAPPA (*con un gesto largo, spagnolescamente generoso*)
Signori, a tutti. (*Si avvia per il fondo*).

I PRESENTI (*tralasciano repentinamente la finzione, per os-*
sequiare con gran rispetto il generoso brigadiere, per-
ché «non è fesso» e per il quale sentono di mostrare
sinceramente la loro ammirazione)   Buona giornata!

AMALIA   A servirvi brigadie'... Na tazzulella 'e cafè?

CIAPPA   No, grazie, m' 'aggio pigliato.

Gennaro, disceso dal letto, si è frattanto unito al coro
degli ossequi per accompagnare il brigadiere fuori, nel
vicolo.

ATTO SECONDO

Lo sbarco alleato è avvenuto. La casa di donn'Amalia
Jovine ha un volto di lindura e di «sciccheria» fastosa.
Le pareti sono color ciclamino, il soffitto color «bianco
ricotta» decorato in oro e stucchi. In fondo, a destra,
la «cameretta» di don Gennaro non esiste piú. Quella
parete, invece, fino a una certa altezza e per la lunghez-
za di circa un metro e mezzo è tutta rivestita di matto-
nelle bianche maiolicate che fanno da pannello a una
mensola di marmo infissa nel muro. Su questa mensola
troneggia una enorme e lucente macchina da caffè; l'ar-
redamento dell'ambiente è fiammante, lustro, in stile
Novecento. Sul letto matrimoniale, una lussuosa coper-
ta di seta gialla. Davanti alla immagine della Madonna
del Carmine, nel vicolo, i fiori sono essiccati, le cande-
le spente; si noteranno però nuove decorazioni all'ico-
na ed anche cinque globi di vetro con lampadine elettri-
che. Amalia è anch'essa un'altra donna: tutta in ghin-
gheri, tutta preziosa, con un'aria fors'anche piú giova-
nile. Si vedrà all'alzarsi della tela davanti ad uno spec-
chio, mentre si dà una toccatina di assetto alla pettina-
tura. Indossa un abito di purissima seta e calze e scarpe
intonate, cosí per modo di dire, all'abbigliamento. È
imbrillantata e porta un paio di orecchini lunghi, pen-
duli.
Dal vicolo si udranno voci confuse di venditori ambu-
lanti che ricordano i tempi della vecchia Napoli borbo-
nica. Dall'andirivieni continuo di costoro, fuori del bas-
so, si avrà la sensazione che *c'è la libertà* e i generi ali-
mentari si smerciano in abbondanza. Le voci interne
dei venditori suonano cosí: «Che belli pullaste!» «Pu-

paruole, mulignane», «Chi fuma? Chi fuma?» «'O
viecchio cu' 'a barba!» «Vullente 'e panzarotte», «So'
d' 'a Villa 'alice fresche!» «Tengo 'e pietrine p'accendi-
sigare».
Amalia prende dalla toletta una grossa bottiglia di ac-
qua di Colonia e se ne serve per profumarsi le mani e il
collo. Poi versa un po' del liquido nel cavo della mano
sinistra e lo cosparge intorno, sui mobili e sul pavi-
mento.
Entra dal fondo Assunta. È la nipote di donn'Adelaide
Schiano: abita con la zia in un basso prossimo a quello
di Amalia. Veste di nero: anche gli orecchini saranno
neri. È un lutto da donnetta del popolo. Ragazza sui
ventiquattro anni, sincera, aperta, un po' svagata. In-
fatti, lo vedremo in seguito, parla senza badare a quel-
lo che dice. Racconta tutto di sé e dei fatti altrui, a
chicchessia. Naturalmente questa sua ingenuità genera
spesso imbrogli, dissidi e gaffes. Per cavarsela, allora,
con un sorrisetto che è causa di una conseguente risata
isterica, irrefrenabile, conclude l'interrotto discorso di-
cendo: «Già... ah, sí...». Nel vedere Amalia, ferma la
sua corsa iniziale e mostra alla donna un cartoccio per
metà aperto.

ASSUNTA   Donn'Ama', guardate che bellu chilo 'e carne.
Chesto 'o ffacimmo a brodo, domani.
AMALIA (*indifferente*)   Overo è bello!
ASSUNTA (*strisciante, servizievole*)   'O vulísseve vuie? Io
ne vaco a piglià n'atu chilo pe nuie. A cinquecento lire.
AMALIA   Nooo... E nnuie stasera tenimmo tàvula.
ASSUNTA (*consapevole*)   Comme... Settebellizze ci ha in-
vitate pure a me e 'a zia... E nnuie perciò domani fa-
cimmo brodo.
AMALIA (*spaccona*)   Sí, ha fatto diversi inviti...
ASSUNTA   Rituccia comme sta?
AMALIA   'E chesto me ne dispiace: ca tengo a Rituccia
poco bene.
ASSUNTA   'A zia sta dinto?
AMALIA   L'aggio cercato 'o piacere 'e ce sta' nu poco

vicino. Chella, quando ce sta donn'Adelaide, se sta cuieta.

ASSUNTA   'E ssape piglià 'e ccriature... Io vaco a posare questa carne... Permettete... (*Esce per il fondo*).

Entra dal fondo Teresa seguita da Margherita. Sono due ragazze del popolo: truccatissime e vistosamente acconciate a colori sgargianti. Le scarpe ortopediche sono troppo alte e le gonne troppo corte.

TERESA   Buongiorno, donn'Ama'.

AMALIA   Buongiorno.

MARGHERITA   Maria Rosaria è pronta?

AMALIA   L'aggio vista ca se steva vestenno. Ma addó iate a chest'ora?

TERESA   Ci andiamo a fare una passeggiata.

AMALIA   Stateve attiente, cu' sti passeggiate, piccere'... Io ce l'aggio ditto tanta vote pure a ffigliema... Per esempio: stu sergente inglese ca tene appriesso, chi è? pecché nun se fa cunoscere? pecché nun se presenta addu me?

TERESA   (*per dissipare qualunque dubbio*)   Noo... Donn'Ama'... Chillo è tanto nu buono giovane... È timido... Nun sape parlà tanto buono l'italiano e se mette scuorno 'e venì addu vuie.

MARGHERITA   (*comprensiva*)   Chillo è surdato, e certamente ha da fa' pure 'o duvere suio... Mo sta caccianno 'e ccarte pecché cu' 'e llegge lloro, ci vuole il permesso proprio dell'America in persona. Ha ditto ca appena è tutto pronto, si presenta da voi per chiedere la mano proprio di Maria Rosaria.

TERESA   'O fatto d' 'e passeggiate, po', come dicite vuie ca avite ditto: «stateve attiente», non c'è proprio pericolo. Pecché loro nun stanno attaccate a tanta pregiudizie, nun capíscono 'o mmale. Camminano abbracciate con le ragazze, ma accussí, cumme a cumpagne, cumme a camerate. Nun è ca ce mettono 'a malizia.

AMALIA   Già... ma però sono camerati sulo cu' 'e rragazze. Cu' ll'uommene se fanno 'e fatte lloro. Allora vo' di' ca ce 'a mettono 'a malizia.

TERESA   È un'altra *mendalità*: sono piú sciolti, piú abbo-
nati... Chella, 'a figlia vosta, ha avuto na furtuna. S' 'a
sposa e s' 'a porta in America. Chillo, *Gion*, faceva am-
more primma cu' me. Po' cunuscette a Maria Rosaria, e
dicette ca lle piaceva cchiú assaie. Pecché accussí è bel-
lo, sinceramente. M' 'o ddicette nfaccia: «*Tua frenda
piú nais!*» Io rispunnette: «*Okei!*» 'A sera purtaie n'a-
tu *frend* suo ca súbbeto s'annammuraie 'e me e a me
me piaceva piú di lui e ce mettèttemo d'accordo. Io poi
lle dicette: «Ci ho na *frenda* mia, che sarebbe Marghe-
rita (*la indica*), non ci hai un *frendo* tuo?» Isso 'o pur-
taie e accussí avimmo fatto tre *freind* e tre *freende*.
MARGHERITA (*scontenta*)   Sí, ma 'o *frend* mio nun me
piace: è curto.
AMALIA   E che fa? Dincello chiaro chiaro: «Senti, tu a
me non mi *nais*, portami un altro che mi *nais* piú di
te». (*Maria Rosaria entra da sinistra in un variopinto
abito estivo, con sandali capresi, e senza cappello*). A
che ora tuorne?
MARIA ROSARIA (*emancipata*)   Nun 'o ssaccio. Quanno me
so' spicciata, torno.
AMALIA   Sòreta sta poco bona. (*Esce a sinistra*).
TERESA (*a Maria Rosaria*)   Vulimmo ji'?
MARIA ROSARIA   Ma che ce vengo a fa'? È na settimana ca
vaco 'appuntamento e nun se fa vedé!
TERESA   E pò essere ca ogge vene.
MARIA ROSARIA   Nun me mporta, Teresi', te giuro ca nun
me mporta. 'A colpa è stata 'a mia e me l'aggia chiàgne-
re io sola. Ma io 'o vulesse vedé pe' lle dicere: «Invece
'e me mannà a cuntà tanta buscíe, pecché nun m' 'a di-
ce tu, personalmente, 'a verità?»
TERESA   Ma, aieressera, 'o nnammurato mio dicette ca
ogge l'avarria purtato.
MARIA ROSARIA   È partuto, siente a me, chillo è partuto.
E ogge o dimane partarranno pure 'e nnammurate vuo-
ste.
TERESA   E si pàrteno, salute a nuie.
MARIA ROSARIA (*guardandola lungamente negli occhi, per
richiamarla alla dura realtà*)   Salute a nuie?

TERESA (*ricordando che, ormai, il suo stato è simile a quello di Maria Rosaria, come smarrita*)   Già...

Un attimo di silenzio comprensivo fra le due ragazze.

MARGHERITA (*petulante*)   A me nun me piace 'o mio: è curto.
TERESA (*spazientita*)   Oi neh tu nun capisce maie niente! (*A Maria Rosaria*) Ccà ce stanno chisti guaie, e chella pensa 'o curto, 'o luongo...

Le tre ragazze si avviano per il fondo.

AMALIA (*entrando, seguita da Adelaide, dice alle ragazze*) Turnate ampressa...
LE RAGAZZE   Va bene. (*Escono parlottando per il vicolo*).
ADELAIDE (*alludendo a Rituccia*)   S'è addurmuta. Me pare ca 'a freva è scesa pure.
AMALIA   'E ccriature accussí cresceno.
ADELAIDE   Si ve serve quacch'ata cosa, nun facite complimenti.
AMALIA   M'avíssev' 'a fà 'o piacere 'e còsere stu bottone vicino a sta cammisa d'Amedeo... (*Mostra un bottone, preso da una scatola sul tavolo ed una camicia*) Ce sta ll'ago e 'o ccuttone ncopp' 'a culunnetta.
ADELAIDE   Mo ve servo subito subito... (*E si accinge alla piccola operazione, sedendo al tavolo*).
'O MIEZO PRÈVETE (*entra dal fondo, introducendo il vinaio che porta un barile sulle spalle*)   Iammo bello, Gariba'. (*Ha tra le mani un tubo di caucciú per il travasamento. Già pratico esce per la porta di destra*) Donn'Ama', 'o signurino 'e Settebellizze ha ditto: «Dincello a donn'Amalia ca chesto (*allude al vino*) è Gragnano vecchio».
AMALIA (*parlando al vinaio verso destra*)   'E fiasche so' tutte sciacquate.
'O MIEZO PRÈVETE (*slegando e disfacendo un involto di tela di sacco che aveva portato con sé*)   Cheste so' sei palate 'e pane bianco... Farina alleata... ma fatte all'uso nuosto cu' 'o furno a fascina... Matalena a Frattamaggio-

re... (*Dispone i pezzi di pane sulla mensola*) Cheste po'
so' 'e ssigarette ca ve manna Teresina a Furcella... (*Mo-
stra un pacco di diverse stecche di sigarette america-
ne*) E chisto è nu biglietto (*cava dalla tasca un foglet-
to di quaderno spiegazzato*) che ve manna essa a vuie.
(*Glielo porge, quindi va a mettere il pacco di sigarette
in un cassetto del comò*).

AMALIA (*con il biglietto fra le mani, rigirandolo varie vol-
te, mostra chiaramente di non saper leggere. Attribui-
sce la impossibilità di decifrare lo scritto alla poca luce*)
Io nun ce veco buono... Donn'Adela', vedite che dice...

ADELAIDE (*prende il biglietto dalle mani di Amalia*) Da-
teme ccà. (*E si dispone a leggere, ma neanche essa ci
riesce*).

'O MIEZO PRÈVETE   Donn'Ama', 'o figlio vuosto ha piglia-
to duie crapette pe' stasera ca putessero jì nnanze 'o
rre... Ma, intendiamoci, 'o rre 'e na vota. Ll'aggio pur-
tate 'o furno e stasera, verso 'e sette e mmezza, m' 'e
vvaco a piglià e 'e porto ccà nzieme 'a parmigiana e 'o
ruoto 'e puparuole.

AMALIA (*accortasi che Adelaide non è ancora riuscita a leg-
gere*)   Donn'Adela', si nun sapite leggere, nun perdim-
mo tiempo.

ADELAIDE   No, sapite che d'è? Ca io cu' chist'uocchio ccà
(*mostra quello destro*) non ci *sfessecheio* tanto bene.
'O biglietto è scritto pure cu' 'o làppeso...

'O MIEZO PRÈVETE   Io vaco a da' na mano 'o cacciavino.
(*Esce per la porta di destra*).

ADELAIDE (*finalmente decifra lo scritto e lentamente, scan-
dendo parola per parola, legge*)   «Cara donn'Amalia,
tècchevi...» (*Si ferma dubbiosa, poi ripiglia*) Ah... «tèc-
chevi» comme si dicesse: Tenite... (*Riprende a legge-
re*) «...*tècchevi* il pacco di sigarette che ha portato il
sergente *ingrese*. Ma però il sergente *ingrese* ha voluto
un aumento di dieci lire a pacchetto. Io ho detto: "Ma
come, voi siete *ingrese*..." E lui ha risposto come se
avesse voluto dire: "*Sarraggio ingrese* comme vuoi tu,
ma se ti conviene a questo prezzo, bene, se no vado da
un altro rivenditore italiano"».

AMALIA S'hanno mparato 'a canzone.

ADELAIDE (*leggendo ancora*) «Nun me le dovevo piglia-
re? Cusí come mi regolo io, regolatevi pure voi, per
non andarci a quel servizio l'una con l'altra. La popo-
lazione deve stare tre giorni senza fumare. Giovedí a
Dio piacente usciamo tutte insieme con il prezzo au-
mentato a cento sessanta lire. Tanti saluti. E tenetemi
informata del prezzo delle coperte e dei maglioni di la-
na, che, mo che viene il freddo, i prezzi sàglieno. La
conserva di pomodoro è pure consigliabile per quest'in-
verno». (*Riconsegna il biglietto ad Amalia*).

AMALIA Io m' 'aggio fatta, 'a cunserva. (*Prende il pane e
lo ripone in un cassetto del comò*).

ASSUNTA (*entra dal fondo*) 'A zi', se volete andare den-
tro. 'E ppatàne 'aggio passate pe' setaccio. Mo v' 'o vve-
dite vuie...

ADELAIDE (*alzandosi*) 'A cammisa 'a metto ncopp' a sta
seggia, donn'Ama'. Permettete. Si me vulite, me chiam-
mate.

AMALIA Si se sceta Rituccia.

ASSUNTA E ce stongo io. Vuie jate dinto, io mi *stono* un
poco qua.

ADELAIDE Permettete, donn'Ama'. (*Ripone gli oggetti da
cucire e la camicia ed esce per il fondo*).

ASSUNTA Donn'Ama', io vi volevo domandare una cosa...
(*Annusando nell'aria*) Ah! Che bell'odore di profumo
delicato. 'O tenite vuie ncuollo? (*Si avvicina alla tolet-
ta*) Quanto mi piace la cura del personale! (*Prende la
bottiglia d'acqua di colonia e la guarda come rapita*) È
cchesta, è ove'? Anche la bottiglia è di forma sensazio-
nale! V' 'a purtata Settebellizze, eh?

AMALIA (*un po' rannuvolata, quasi offesa*) E pe' qua' ra-
gione m' 'aveva purtà Settebellizze? Me la sono compra-
ta da per me.

ASSUNTA Noo... mi credevo... Dato ca tuttu quante, dint'
'o vicolo, diceno... ca vuie... Insomma ca Settebelliz-
ze... (*S'avvede di aver parlato troppo ed accenna il sor-
risetto*) Già... Ah, sí...

AMALIA   Ma che diceno? (*Uscendo fuori dei gangheri*)
Che hanno 'a dicere sti quatto...

ASSUNTA (*interrompendola, allarmata*)   Niente, nun ve
pigliate collera. Io parlo cosí... (*Come ricordandosi un
avvertimento*) Chella, 'a zia, m' 'o ddice sempe ca io mi
debbo imparare a *stàremi* zitta con la lingua. Ma non lo
faccio per male. Sono stupida... (*E qui comincia a ride-
re del suo riso isterico, che non le permette nemmeno
di proseguire la frase*) 'E vvote rido io sola... (*Ride con-
vulsamente fino alle lacrime*).

AMALIA   Ma pecché ride?

ASSUNTA   No, nun parlate ca facite peggio... (*Non riesce
a frenarsi. Poi, d'un tratto, come irata contro se stessa*)
Giesú, ma che m'ha pigliato?

AMALIA (*urtata*)   Oi neh, tu 'e vvote tuocche 'e nierve cu'
sta resata...

ASSUNTA (*ridendo meno*)   E che ce vulite fa'? È una de-
bolezza! Facitela sfugà nu poco... (*Si ripiglia*) Ecco, mi
è passata. Vi volevo domandare... Io cu' 'a zia nun ce
pozzo parlà pecché chella è cchiú scema 'e me... Ma voi
ammece siete una donna che smerzate il mondo dentro
fuori...

AMALIA (*infastidita*)   Va' dicenno, Assu'...

ASSUNTA   Ecco... Io volevo sapere se sono zitella.

AMALIA   E io saccio 'e fatte tuoie?

ASSUNTA   Io mi sono sposata con Ernesto Santafede il
ventiquattro marzo 1941, pe' procura, dato che trova-
si tuttora militare a servire la patria in Africa Setten-
trionale. (*Ammirando il vestito di Amalia*) Quant'è bel-
la sta veste ca v'avite misa oggi. È nova?

AMALIA (*con voluta indifferenza*)   M' 'a purtaie 'a sarta
l'altro giorno.

ASSUNTA (*ripigliando il discorso troncato*)   Partette pe'
surdate ca facèvam' 'ammore e da nnammurate ce ve-
dettemo l'ultima volta, ma, come marito e moglie, è
stata una iettatura, non abbiamo potuto consumare...
(*cerca il modo di esprimersi*) comme se dice? chella co-
sa llà... (*E accompagna la frase con un gesto battendo le
palme in fretta*) Venette pure in licenza per quindici

giorni. Io appriparaie 'o vascio... 'A zia s'accunciaie 'a
cammarella ncopp' 'o mezzanino per lasciarci soli, ca
dovevamo tubare... Ma chille, 'e bumbardamente, pare-
va ca 'o ffacevano apposta... Io m'appriparavo tantu
bella... Cunzumaie na buttigliella 'addore... (*Imita il
suono della sirena d'allarme*) Peee... e fuiévamo... 'E
quinnice iuorne 'e licenza c' 'e passaieme dint' 'o rico-
vero... Se ne partette... E l'avete visto piú voi? Adesso
siccome un messaggio che avèttemo, ca nun 'o sentètte-
mo manco nuie, ma 'o sentette un *cainato* di una cumpa-
gna mia ca se truvava a Roma e ce 'o mmannaie a dice-
re per una vecchia che si doveva recare in Calabria e ca
era di passaggio per Napoli...

AMALIA   Eh! (*Come dire: «che storia lunga!»*)

ASSUNTA   Embè e che vulite fa'?!... dice ca era prigiunie-
ro... Nu cumpagno suio ca è turnato me dicette ca era
muorto. Chi dice ca l'ha visto vivo... Io dico: fra tutte
queste voci, sono io sempre zitella?

AMALIA   E comme no? Si' zitella, pecché, comme fosse,
nun te si' aunita cu' maríteto. È questione ca si nun haie
na nutizia sicura, si' sempre maritata.

ASSUNTA (*un po' preoccupata*)   Ecco, quell'è...

AMALIA   Nun te puo' mmaretà n'ata vota...

ASSUNTA (*scartando l'ipotesi*)   Chi?? E chi ce penza?
Primma 'e tutto io rispetto la probabile buonanima...
(*Mostra un berlocco portaritratto di metallo nero che
ha al collo*) 'O vedite? Sta sempe ccà. Me mettette pu-
re 'o llutto. E m' 'o llevaie quanno me dicettero ca era
prigiuniero. Po' m' 'o mmettette n'ata vota... (*Divertita
al suo stesso caso*) Giesú, stu llutto m' 'o llevo e m' 'o
mmetto. Cos' 'e pazze... Sperammo ca m' 'o levo e nun
m' 'o metto cchiú... (*Maliziosa*) Ca non conoscerò mai
il mondo? (*Sprezzante*) Salute alla fibbia, disse don Fa-
bio.

ERRICO (*entra dal fondo. Indossa un vistosissimo abito gri-
gio chiaro. Porta scarpe gialle. Cravatta a colori vivaci.
Fiore all'occhiello. Cappello di finissima qualità. Tutto
l'insieme lascia indovinare a prima vista il suo totale
cambiamento di classe. Egli ormai è molte volte milio-*

*nario. Lo si nota anche dal suo incedere lento, sicuro e
dal grosso brillante che ostenta al medio della mano si-
nistra con vanitosa disinvoltura. Ormai Settebellizze fa
colpo sulle donne del quartiere: egli lo sa bene e se ne
compiace)* Eccomi qua. (*Scorge Assunta, e rimane
contrariato*) Donn'Amalia, servitore vostro.

AMALIA (*ammirata se lo mangia con gli occhi*)   Tanti au-
guri e buona salute.

ERRICO   Grazie. Sono trentasei. Ci cominciamo ad invec-
chiare.

ASSUNTA   Trentase' anne. State nel piú meglio...

AMALIA (*con leggero rimprovero ad Errico*)   Vi aspetta-
vo piú presto, veramente.

ERRICO   Sarebbe stato mio dovere venirvi ad ossequiare
un poco prima per ringraziarvi del magnifico mazzo di
rose che mi avete fatto pervenire a casa stamattina e
per chiedervi ancora scusa del fastidio che vi prendete
stasera, festeggiando in casa vostra la mia *natività.*

AMALIA   Che c'entra... Voi siete solo e qua vi *trovarrete*
come nella vostra stessa, *mmèresema* famiglia.

ERRICO   E grazie ancora. (*Galante*) Però voi non dovete
alzare neanche una sedia da qua llà. Io e Amedeo ab-
biamo provveduto a tutto. (*Siede a destra accanto al ta-
volo*) Dunque vi dicevo... Sarei venuto prima ma ho
avuto un poco da fare. Aggi' avut' 'a fa' partí due ca-
mion per la Calabria e si nun staie presente durante 'o
carico 'a rrobba sparisce... L'aggio cunsignate, m'hanno
dat' 'o scecche e me ne so' ghiuto. Po' aggio perza na me-
za iurnata tra l'A.C.C. 'a B.V.B., 'a sega sega Mastu
Ci'... 'o sango 'e chi ll'è bivo... E chi Madonna 'e capi-
sce... Ccà p'avé nu permesso ce vo' 'a mano 'e Dio... Po'
so' ghiuto na mez'ora abbascio 'a Réfice... e a questo
proposito v'aggi' 'a parlà... Me so' ghiuto a vèstere ca
parevo nu scarricante d' 'o puorto... ed eccomi qua...
Amedeo è venuto?

AMALIA   No. E chille pur'isso è asciuto 'e notte.

ERRICO   Oi neh, ma tu 'a casa toia nun haie che fa'?

Assunta, apostrofata, non sa cosa rispondere.

AMALIA   No, sta ccà, pecché caso mai Rituccia se sceta...

ERRICO   Comme sta 'a piccerella?

ASSUNTA (*premurosa*)   Sta meglio. Pirciò sto ccà. Si no, che d'è? nun 'o ssaccio ca quanno ce state vuie me ne debbo andare io... dato che... (*Fermandosi di colpo ed accennando il suo sorrisetto*) Già... Ah, sí... (*È presa di nuovo dal suo convulso d'ilarità*).

AMALIA   Mo accummience n'ata vota?

ASSUNTA (*sempre ridendo*)   E che ce vulite fa'? Quella è una debolezza! (*Il suo riso diventa irrefrenabile*) Ma quanto so' scema... 'E vvote rido cosí, senza ragione... Va trova 'a gente che se crede... Permettete... (*Esce dal fondo*).

ERRICO   Ma pecché fa 'a nzípeta, chella?

'O MIEZO PRÈVETE (*seguito dal vinaio che porta sulla spalla il barile vuoto*)   Il vino è tutto infiascato.

ERRICO (*porgendogli un biglietto da cento*)   Dalle ciento lire... (*Indica il vinaio*).

'O MIEZO PRÈVETE (*prende il biglietto di banca e lo consegna al vinaio*)   Ringrazia 'o signurino. (*Il vinaio ringrazia con un gesto*). Chill' è muto. (*Il vinaio esce per il fondo*). Avite bisogno 'e niente?

ERRICO   Statte fore 'o vico. Si te voglio, te chiammo.

'O MIEZO PRÈVETE   'E cumanne... (*Esce per il fondo*).

ERRICO (*ad Amalia*)   Dunque...

PEPPE (*entra dal fondo, parlando a Federico che lo segue*)   Nun putimmo fa' niente, Federi'...

FEDERICO   Siente a me, mo te firmo 'o scecco e t' 'o dongo.

ERRICO (*contrariato*)   E che te cride ca se pò dicere na parola dint' a stu vascio?

PEPPE (*a Federico*)   Tu è inutile ca firme... Pecché hann' 'a essere duiecientosissantamila lire.

FEDERICO (*disponendosi a firmare un assegno*)   Iammo, mo 'a putisse ferní... (*Ad Amalia*) Donn'Ama' doie tazze 'e cafè... Salute, Settebelli'.

Amalia prepara i due caffè e li serve.

PEPPE   Pigliàmmoce 'o ccafè. Offro io. Ma p' 'o fatto d'
    'e solde nun putimmo fa' carte.
FEDERICO   Chelle so' cinche gomme 'e «1100».
PEPPE   So' nnove, ca nun hanno fatto nisciuno peccato.
    Ce sta ancora 'a carta d' 'a fabbrica e 'o ttalco vicino.
    Ccà ce sta Settebellizze ca se ne intende.
FEDERICO   Ma pecché, con tutto il rispetto a Settebelliz-
    ze, io non me ne intendo?
PEPPE   Allora aviss' 'a piglià duicientosissantamila lire,
    cu' nu vaso ncoppa e me l'avissa da'. (Alludendo ai pneu-
    matici in questione) Chelle 'a quatt'ati iuorne p' 'e pi-
    glià ce vonno trecientomila lire.
FEDERICO   Ma io ll'aggi' a' vénnere... Aggi' 'a abbuscà na
    cusarella pur'io?
PEPPE   E vuó abbuscà cientocinquantamila lire? Del re-
    sto io sto in società cu' Amedeo... Parla cu' isso... Si te
    vo' fa' sparagnà quacche cosa...

Sorbiscono il caffè.

ERRICO   Vedite 'e ve mettere d'accordo.
PEPPE (a Settebellizze)   L'Aprilia comm'è ghiuta?
ERRICO   L'aggio pruvata. 'A tengo dint' 'o garage. Là, si
    'e vuó settecientomila lire, bbene, si no ccà sta 'a chia-
    ve... (Trae dal taschino del panciotto una chiavetta per
    la messa in moto della macchina) e va t' 'a píglia.
PEPPE   Ma io tante ve cercaie: settecientomila lire.
ERRICO (ricordando)   Ah... Embè, io nun me ricurdavo
    cchiú... Del resto chella, 'a machina, ce vale... (Prende
    dalla tasca del pantalone una manata di assegni ban-
    cari e ne sceglie due fra questi) Te', chiste so' duie va-
    glia: uno 'e cincuciento e n'ato 'e duiciento... (Glieli
    porge).
PEPPE (riscuotendo il danaro)   Oh! Benedetta 'a mano 'e
    Dio! Quanto è bello quann'uno capisce... (A Federico)
    Tu staie facenno tant'ammuina... Pe' cumbinà n'affare
    cu' te ce vo' na sezione 'accusa.
FEDERICO (messo sul punto)   Oi ni', tu 'o ssai ca nun ce
    tengo? Teccatelle 'e dduiecientosissantamila lire... (Con

una stilografica firma un assegno da un libretto banca-
rio e, staccatolo, lo consegna a Peppe) Mo ce vulesse
don Gennaro per un disegno di legge.

AMEDEO (*entra dal fondo. Anch'egli in ghingheri; vestito*
d'una eleganza piuttosto fine) Signori, buongiorno.
(*Si dirige difilato al comò, rovistando fra gli oggetti che*
vi son sopra. Ha rintracciato una cosa che gli sta a cuo-
re) 'O vi' ccanno 'o vi'... Me pensavo ca nun 'o truvave
cchiú... (*Mostra un pacchetto fatto di carta di giornale*).

RICCARDO (*entra dal fondo. Macilento, pallido, trasandato*
nel vestire, quasi sottomesso) Buongiorno.

Tutti gli rispondono appena.

AMALIA (*ha un senso di fastidio, quasi di sopportazione*)
Buongiorno, signuri'. (*Scambia un'occhiata con Settebel-*
lizze) Vulite quacche cosa? (*Riccardo esita, guardando*
i presenti; fa capire ad Amalia che vorrebbe rimaner so-
lo con lei). Embè, si aspettate nu mumento...

RICCARDO (*deciso*) Sí, aspetto. (*E si mette da parte, in*
fondo, a destra).

PEPPE (*traendo in disparte Amedeo*) Amede' stasera ce
putimmo vedé?

AMEDEO E stasera tenimmo 'a tavula. Tu viene?

PEPPE E comme no? Io so' stato invitato.

AMEDEO E allora parlammo ccà.

PEPPE (*cauto*) E ccà nun putimmo parlà! (*Dà un'occhia-*
ta intorno, furtiva) Se tratta 'e na machina cu' cinche
gomme nòve... Dimane a ssera avimm' 'a fa' o piezzo 'e
lavoro...

AMEDEO (*tagliando corto*) Va buo', mo parlammo fore...

PEPPE (*ad Amalia*) Donn'Ama', pigliàteve 'e sorde d' 'o
ccafè... (*Dà del denaro alla donna, che lo intasca*).

FEDERICO Donn'Ama', sigarette ce ne stanno?

AMALIA (*pronta*) Niente. Nun me n'hanno purtate.

PEPPE (*ironico*) E va be', abbiamo capito. Stammatina
so' sparite 'e ssigarette.

FEDERICO Decreto catenaccio.

PEPPE Federi', tu te ne viene?

FEDERICO   Sto venenno. (*Saluta*) Signori a tutti! Amedé,
tu te rieste?

ERRICO   Sí. Amedeo resta ccà. Amede', t'aggi' 'a parlà!

PEPPE   Allora a stasera, per il pranzo. Iammuncenne. (*E
parlottando con Federico esce per il fondo*).

AMALIA (*a Riccardo*)   Dunque, che v'aggi' 'a serví, signu-
rí'?

RICCARDO (*timido*)   Per quell'impegno che facemmo...

AMEDEO (*ad Errico*)   Io stongo 'o puntone 'o vico. Quan-
no me vulite me chiammate. (*Fa per andare, poi si fer-
ma e come ricordando*) 'O pacchetto... Mo m' 'o scur-
davo n'ata vota... So' trecientomila lire... (*S'accorge di
aver parlato troppo in presenza di Riccardo*).

AMALIA (*cercando di riparare, scherzosamente rimprove-
rando il figlio*)   Isso teneva trecientomila lire. Chillo
pazzéa.

AMEDEO (*confuso, piú verso Riccardo*)   Sò 'e n'amico mio
ca s' ha da vení a piglià... Basta, i' sto fore... (*Prende il
pacchetto che aveva appoggiato sul tavolo ed esce*).

AMALIA (*a Riccardo*)   Dunque?

RICCARDO (*modesto, disponendosi ad esporre un suo dram-
matico caso, senza però alcun senso di ostilità verso i
suoi interlocutori, quasi come se il torto fosse dalla
parte sua*)   Non che sia un mio diritto, per l'amor di
Dio... Ma volevo parlare un poco alla vostra coscienza...
(*Amalia lentamente siede accanto al tavolo al lato sini-
stro, voltando le spalle a Riccardo, come svagata. Erri-
co, che precedentemente si era seduto al lato opposto
del tavolo, assume lo stesso atteggiamento, fumando
beatamente*). La prima volta che mi trovavo a corto di
soldi, voi proponeste di disfarmi di uno dei due *quarti-
ni* di mia proprietà, dicendo che avevate la persona che
comprava. Io, con l'acqua alla gola, cedetti. Questo poi
avvenne una seconda volta, quando perdetti addirittura
il posto di ragioniere nella società per la manutenzione
degli ascensori e mi disfeci pure del secondo. Ho saputo
poi che tutti e due i *quartini* li avete comprati voi... Vi
faccio i miei auguri e ve li possiate godere per cento an-
ni. Ora, voi mi anticipaste quarantamila lire sulla casa

che abito con i miei figli e mi faceste firmare una carta
dal notaio, dove c'è il diritto di riscatto da parte mia
mediante la restituzione della somma nei sei mesi dalla
firma. (*Pausa. Il gelo che producono le parole. di Ric-
cardo lo intimidisce sempre piú. Ma si fa animo e ri-
prende*) L'impegno è scaduto da venti giorni, d'accor-
do... Ma voi mi mandate l'ingiunzione del vostro avvo-
cato: «o paghi un fitto di quattromila lire al mese o
vattene!» (*L'ingiustizia è talmente palese che dà foga al
suo discorso*) A parte il fatto che io non ho dove anda-
re... e d'altra parte non posso pagare quattromila lire al
mese... voi avete il coraggio di pigliarvi quella proprie-
tà per quarantamila lire?

ERRICO (*senza spostarsi dalla sua posizione*) Ma... non
sono quarantamila lire... L'impegno dice che se voi non
pagate le quarantamila lire nei sei mesi, la signora Ama-
lia è tenuta a versarvi altre cinquantamila lire per di-
ventare proprietaria del vostro appartamento. E l'avvo-
cato perciò vi ha fatto l'ingiunzione... Perché voi non
volete accettare le cinquantamila lire... Pigliatevelle e
truvàteve n'ata casa...

RICCARDO Me trovo n'ata casa?! Con mia moglie, con tre
creature, me trovo n'ata casa?

ERRICO (*infastidito*) Allora, scusate, che volete fare?
Chesto no chello no...

RICCARDO Vedete, io ho qui diecimilasettecento lire...
(*Prende il danaro da un portafoglio e lo mostra*) Ho
venduto due giacche e un pantalone di inverno... Roba
che non valeva nemmeno... Ma sapete coi prezzi di og-
gi... Io vorrei offrire alla signora questa somma a scom-
puto delle quarantamila lire che le devo. Siccome la so-
cietà mi deve liquidare quasi ottantamila lire... Si tratta
di giorni.

AMALIA (*non intende aggiustare la cosa*) Ma scusate...
Questo lo dovevate fare nei sei mesi dell'impegno...

RICCARDO (*sincero*) Non ho potuto. Credete a me, non
ho potuto. E poi speravo che vi foste immedesimata
della posizione... (*Implorando*) Fatemi questa grazia...
(*I due non rispondono. Riccardo ha un attimo di smar-*

rimento; quasi parlando a se stesso) Si cambia casa, è
una parola... Una volta era facile... Si cambiava casa con
facilità... Perché anche se si andava ad abitarne una piú
brutta, piú meschina, uno ce ieva cu' piacere... Perché
in fondo la vera casa era un poco tutta la città... (*Come
ricordando un'epoca felice*) La sera si usciva... S'incon-
trava gente calma, tranquilla... Si scambiavano sorrisi...
saluti... C'era quella sensazione di protezione scambie-
vole. Certe volte uno pure se si voleva divagare un po-
co, senza spendere soldi, usciva per vedere come erano
aggiustate le vetrine... Senza invidia... Senza rancore...
Uno vedeva un oggetto... Diceva: quanto è bello! E fa-
ceva tutto il possibile per conservare i soldi e poterlo
acquistare, nei limiti delle proprie possibilità... Cambio
casa... Oggi che solamente in casa propria uno si sente
un poco protetto... Oggi che non appena metti il piede
fuori di casa tua, ti sembra di trovarti in una terra stra-
niera...

ERRICO (*un po' scosso*)   Del resto, non è cosa mia... Se
donn'Amalia vuole...

RICCARDO (*rincuorato, cerca di cogliere l'attimo favorevo-
le*)   Donn'Ama', queste sono diecimilasettecento lire...
Fatelo per quelle creature mie che, vi giuro (*amaro*) se
sapeste quanto mi costa il dovervelo dire... oggi non
mangeranno...

Errico guarda Amalia, che a sua volta lo fissa, incerta e
meravigliata, perché in fondo scorge nello sguardo del-
l'uomo una certa debolezza.

AMALIA   Ma scusate... Ma cheste so' belli chiacchiere...
(*Ad Errico che insiste nel guardarla per farla rabboni-
re, con tono che non ammette replica*) Oi ni', 'assance
fa'. (*Si alza, accesa*) Ma vuie 'e solde v' 'e ssapisteve pi-
glià... Mo mi venite a dire, ca 'e duie quartine vuoste
m' 'accattaie io... E nun ve l'aggio pavate? (*Riccardo cer-
ca di calmarla, temendo la chiassata*). Ma pecché, quan-
no dint' 'a casa mia simme state diune, simme venute
addu vuie? (*Convinta e vendicativa*) 'E figlie mieie nun

hanno sufferto 'a famma? Nuie, quanno vuie teniveve
'o posto e 'a sera ve facíveve 'e passeggiate a perdere
tiempo nnanze 'e vetrine, mangiàvemo scorze 'e pesiel-
le vullute cu' nu pizzeco 'e sale, doie pummarole e sen-
za grasso... (*Perde il controllo. Va sempre piú gridan-
do*) Mo me dispiace! Ma io chesto me trovo: 'e duie
quartine vuoste e 'a casa addó state vuie... Pigliateve 'e
cinquantamila lire 'a mano 'e l'avvocato. E si vulite
rummané dint' 'a casa, che v'arricorda quanno vuie
mangiaveve e nuie stévemo diune, pagate 'o mensile. E
si no ve ne iate ca ce facite piacere. Mo lassàtece, ca
avimmo che fa'... (*Mettendo Riccardo alla porta*) Sful-
lammo! Sfullammo! Iate, ragiunie', ca 'o ghi' è sempe
buono.

RICCARDO (*annichilito, ma senza perdere il controllo, qua-
si cortese*)   Va bene, non vi adirate! Me ne vado... Cer-
cherò di trovare... Lasceremo la casa... Io andrò domat-
tina dall'avvocato e saneremo la questione... (*Stordito
dai troppi pensieri che si affollano alla sua mente e dal-
la scenata si avvia per il fondo, mormorando parole in-
comprensibili. Sul limitare della porta del basso fa per
uscire per la destra, ma s'avvede di aver sbagliato e do-
po un istante di smarrimento, si riprende ed esce per la
sinistra*).

AMALIA (*soddisfatta*)   Ah! Mo credo ca l'ha capito na vo-
ta e pe' sempe! (*A Settebellizze, ripigliando il discorso
interrotto*) Dunque... Site iute abbascio 'a Réfice?

ERRICO (*annuendo*)   Aggiu fatto nu cambio cu' chelli
ddoie prete ca accattaie se' mise fa... Ce aggio dato
quattucientomila lire 'e refosa e m'aggio pigliato chesti
ddoie ccà... (*Mostra i due brillanti ravvolti in pacchetti
di carta velina*) Cheste mo vanno iusto tre milioni e
miezo.

AMALIA (*osservando, rapita*)   So' belle!

ERRICO   Senza difette e di colore bianchissimo...

Amalia dà una occhiata fuori del basso, guardinga, sol-
leva una mattonella dalla parte sinistra del letto e pren-
de un sacchetto di tela contenente valori.

AMALIA   Sto sempe cu' na preoccupazione... (*Apre il sac-
   chetto, vi introduce i due brillanti che Errico ha porta-
   ti e lo ripone curando di assestare la mattonella in mo-
   do che aderisca perfettamente al piano del pavimento.
   Dà un'altra occhiata fuori, poi, rinfrancata*) Dunque,
   queste due pietre sono le mie...

ERRICO (*che frattanto s'è alzato dal suo posto, fermandosi
   sulla soglia del basso, osservando distrattamente il mo-
   vimento del vicolo*)   La ripartizione è già fatta. (*Muo-
   ve verso Amalia, fermandosi al centro scena; amaro*)
   Giacché voi trovate tanta difficoltà a unire il mio al vo-
   stro...

AMALIA (*disponendosi a formulare un serio discorso, da
   tempo maturato*)   Sentite, Settebelli'... Voi sapete se io
   vi stimo e se ci ho o non ci ho una simpatia per voi...
   Anzi sento un trasporto cosí reciproco che alle volte mi
   sento a voi vicino che mi guardate con gli occhi talmen-
   te assanguati, ca me pigliasse a schiaffi io stessa, tal-
   mente ca desiderasse che la fantasia fosse *lealdà*... (*Er-
   rico abbassa gli occhi triste. Amalia incalza*) La società
   che ci abbiamo... io accattanno e vennenno e vuie cu' 'e
   camionne... ci ha fatto *guadambiare* bene... e ringra-
   ziammo Dio... (*Conseguenziale*) Perché dobbiamo com-
   mettere il malamente? Io tengo na figlia grossa... E
   Gennarino?

ERRICO (*scettico*)   Ma don Gennaro, oramaie, è piú 'e
   n'anno ca nun avite avute nutizie... Adesso non per fa-
   re l'uccello di cattivo augurio, ma ve pare ca si era vi-
   vo, nun truvava nu mezzo qualunque pe' ve fa' sapé ad-
   dó steva? Cu' tanta bumbardamente ca ce só state, iate
   truvanno 'o capo d' 'a matassa? S' 'o purtavano 'e tede-
   sche... E che s' 'o purtavano a fa'? Se purtavano mpic-
   cie appriesso? P' 'e strade se sparava... o na bomba o
   na palla pe' scagno... Pe' me, dico ca don Gennaro è
   muorto!

AMALIA (*nel frattempo ha preso una lettera dal tiretto del
   comò, ed ora la mostra a Settebellizze con intenzione*)
   Chesta, 'a vedite? è indirizzata a Gennarino... È arriva-

ta tre giorni fa... Io l'aggio aperta p'avé quacche nuti-
zia... È de nu tale ca tutto stu tiempo è stato nzieme cu'
isso... 'O manna a salutà e le dà nutizie soie... Ncopp'
'o mbullo nun se capisce 'a do' vene... Certamente Gen-
narino avette 'a da' l'indirizzo 'e Napule a stu tale... Ad-
dó vaco? A chi addimanno? Vivo, è vivo! Pe' nun fa' sa-
pé niente, è segno ca nun ha pututo... Ma vedite che,
da un giorno all'altro, 'o tengo nnanze a ll'uocchie,
Gennarino sta ccà.

ERRICO (*messo di fronte all'evidenza, trova modo di insi-
nuare*) Certo ca pe' vuie sarrà nu piacere...

AMALIA (*combattuta*) Nu piacere e nu dispiacere. Pec-
ché, certamente, vuie 'o ssapite... accumencia a dimann-
nà... «Ma che d'è stu cummercio? – Chesto se pò fa'...
chello no...» Insomma, mi attacca le braccia ca nun
pòzzo cchiú manovrare liberamente...

ERRICO (*avvicinandosi sempre piú a lei e fissandola, quasi
con aria di rimprovero*) Già...

AMALIA (*volutamente sfugge*) «'O pericolo... Stàmmice
attiente...»

ERRICO E... non per altra ragione?

AMALIA Per... tutte queste ragioni.

ERRICO (*indispettito, come richiamando la donna a qual-
che promessa tutt'altro che evasiva*) E pe' me, no? È
ove'? Pe' me, no!

AMALIA (*non avendo piú la forza di fingere, per la prima
volta, guarda l'uomo fisso negli occhi e, stringendogli le
braccia lentamente e sensualmente gli mormora*) E
pure pe' te!

Errico ghermisce la donna e con atteggiamento coscien-
te da maschio avvicina lentamente la sua bocca a quel-
la di lei, baciandola a lungo. Immediatamente dal fon-
do entra 'O Miezo Prèvete frugando nelle tasche del
panciotto e muovendo verso la «vinella». Scorge la sce-
na, ne rimane interdetto, poi torna sui suoi passi, fer-
mandosi sotto la porta e voltando le spalle ai due
amanti.

UN SIGNORE (*entra, ordinando*)   Un caffè!

'O MIEZO PRÈVETE (*sgarbato lo ferma, lo fa girare su se stesso e dice, spingendolo*)   Sospesa la vendita! Iate 'o vascio 'o puntone. Iate, Iate!

Il signore, mormorando qualche cosa, scompare. I due, disorientati alla voce di 'O Miezo Prèvete, si staccano e si allontanano l'una dall'altro. Amalia esce dalla prima porta a sinistra.

ERRICO (*contrariato e aggressivo*)   Tu che vuó?

'O MIEZO PRÈVETE (*ancora rovistando nelle tasche del panciotto, come a riprova di quello che dice*)   Aggio lassato 'e fiammifere for' 'a vinella.

ERRICO (*sgarbato*)   E va' t' 'e piglia!

'O MIEZO PRÈVETE (*con un sorriso, per rabbonirlo*)   Va buo'... Che m' 'e piglio a fa'? (*Visto che non riesce a calmare l'espressione truce di Errico, risolve*) Mbè... Mo m' 'e vaco a piglià... (*Esce per la prima porta a destra, guardando di sottecchi Errico*).

AMEDEO (*entra dal fondo, ad Errico*)   Dunque, vuie dicite ca m'avit' 'a parlà?

ERRICO (*deciso*)   Guaglio', io so' nato mmiez' 'a via e cunosco 'a vita meglio 'e te...

AMEDEO (*disorientato*)   E che significa stu discorso?

ERRICO   Significa ca a nu certo punto he 'a nzerrà 'o libro e che 'a sta' sentí a chi vede e sente... e capisce... Tu staie piglianno na brutta strada...

AMEDEO   Ma qua' strada?

ERRICO   Tu l'amicizia 'e Peppe 'o Cricco l'he 'a lassà! Tu sei troppo giovane e puo' cummettere quacche leggerezza ca te pò custà 'a libertà. Sai pecché 'o chiammano Peppe 'o Cricco?

AMEDEO (*fingendo di non sapere*)   Pecché?

ERRICO (*ironico*)   Nun 'o ssaie, è ove'? Pecché quanno ha puntata na machina, 'a notte runzéa e quanno 'ave 'o pede a l'èvera se mette sotto 'a balestra e l'aíza cu' na spalla... (*Accusando con un tono che non ammette repliche*) E tu sfile 'a rota 'a sotto!

AMEDEO (*negando decisamente*) Io?

ERRICO Manco he capito? E mo me spiego meglio. (*Ad Amalia che, in quel momento è entrata dalla prima a sinistra*) Nuie facimmo quatte passe. (*Prende Amedeo per un braccio e lo trascina quasi fuori dal basso*).

AMEDEO (*cercando di giustificarsi*) Don Erri', chisto è nu sbaglio!

ERRICO Cammina...

Escono. Quasi contemporaneamente dal fondo, lato sinistro, appare Maria Rosaria. Senza parlare muove verso destra. Lascia sul tavolo la borsetta, dà un'occhiata a sua madre, piega le braccia e rimane ferma con una espressione di dispetto, in un silenzio provocatore. Dalla prima a destra 'O Miezo Prèvete entra ed esce per il fondo.

AMALIA (*ha osservato attentamente l'atteggiamento della figlia. Istintivamente comprende che qualche cosa d'insolito è avvenuto e la interroga con ironia*) Guè... Si' turnata ampressa? Che t'ha ditto 'o sposo?

MARIA ROSARIA (*sempre piú sprezzante*) 'O sposo è partuto e nun torna cchiú.

AMALIA (*quasi divertita*) Ah? E a te che te mporta? Te ne truove a n'ato.

MARIA ROSARIA (*fredda*) Trovo a chi me pare e piace, avite capito? M' 'o vveco io. Vuie ntricàteve d' 'e fatte vuoste!

AMALIA (*scherzosa*) Uh! Pover'ànema 'e Dio! Ce avive miso proprio 'o pensiero... 'O viaggio! L'America... Chella po' l'America veneva iusto 'a parta toia...

MARIA ROSARIA 'A parta mia è venuta pe' disgrazia... E io nun ce avevo miso sulo 'o pensiero... Ma 'o core, ce avevo miso... E vuie putíveve tené nu poco cchiú ll'uocchie apierte ncuollo a me! E mo è inutile ca alluccate, pecché non c'è cchiú rimedio...

AMALIA (*sbalordita e incredula*) Nun c'è cchiú rimedio? Parla, ch'he fatto?

MARIA ROSARIA (*con veemenza, non sembrandole vero di*

poter rinfacciare a sua madre la colpa commessa)   L'a-
vivev' 'a vedé primma! E quann'io 'a sera ascevo cu' 'e
cumpagne meie, invece 'e ve fa' piacere, accussí putíve-
ve fa' 'o còmmedo vuosto, v'avivev' 'a sta' attienta... In-
vece 'e penzà agli affari, a 'e denare... penzàveve a me!

AMALIA (*non riesce ancora ad avere il controllo di se stes-
sa, e con tono quasi di discolpa*)   E tu puo' dicere ca
nun aggio penzato a te? Io me so' fatt' accidere p' 'e
figlie, p' 'a casa...

MARIA ROSARIA (*ironica*)   Vuie? Ma pecché, teníveve 'o
tiempo 'e penzà a me? E a Settebellizze chi ce penza-
va? Io?

AMALIA (*riesce a stento a frenare il suo furore*)   Uh, guar-
date?... E io mo t' 'o spiego n'ata vota... Settebellizze e
io teniamo una società di accattare e vénnere... E so' af-
fare ca nun te riguardano! (*D'improvviso diventando
aggressiva*) E me l'aggi' 'a vedé io, he capito? Ma tu,
parla... Fatte ascí 'o spíreto. (*Va in fondo e chiude i
battenti della porta*) Quanno... Addó?

MARIA ROSARIA (*trattando la madre da pari a pari e guar-
dandola negli occhi le grida*)   Ccà... 'O facevo trasí
ccà... Quanno vuie, 'a sera, ve íveve a fa' 'e passiate e 'e
cenette cu' Settebellizze...

AMALIA (*sbarrando gli occhi*)   Ccà? Dint' a casa mia?
Schifosa! E nun te miette scuorno e' m' 'o ddicere nfac-
cia? E parle 'e me? Tu nun si' degna manco 'e m'an-
nummenà! Ma io te scarpéso sott' 'e piede mieie... Te
faccio addeventà na pizza...

MARIA ROSARIA (*non disarma*)   E chiammate pure a Set-
tebellizze... Dicitincelle ca me venesse a vàttere pur'is-
so... Tanto, vuie chistu deritto ce l'avite già dato...

AMALIA (*controlla a stento il tono della sua voce perché il
fatto non dilaghi nel vicolo*)   Malafemmena! Si' na ma-
lafemmena!

MARIA ROSARIA (*puntando l'indice verso la madre*)   Chel-
lo ca site vuie...

AMALIA (*fuori di sé*)   T'accido, he capito?

63

E muove decisa verso Maria Rosaria, la quale, vistasi a
mal partito, esce correndo inseguita dalla madre. All'interno la lite diviene furibonda. S'intuisce che Maria
Rosaria cerca di evitare quanto piú può le percosse.
Frattanto nel vicolo si avverte un movimento insolito:
si ode un mormorio di voci. Qualche cosa di eccezionale deve essere avvenuto. Si distinguono delle voci:
«Gnorsí, è isso!», «Salute...», «Finalmente!», «Don
Genna', faciteve salutà», «Ccà sta don Gennaro». Finalmente un coro di voci si leva per tutto l'abitato come per una festa. Una voce isolata prende il sopravvento: «Don Genna', ccà tutte quante ce credévamo ch'íreve muorto!» Finalmente si ode la voce di Gennaro,
emozionata.

GENNARO (*voce interna*)   E invece sono vivo e sono tornato.

E mentre continua il coro dei saluti, di ben trovato, entra dal fondo Adelaide con l'aria di chi abbia qualcosa
d'insospettato e di molto importante da comunicare.
Non vedendo alcuno in scena, chiama.

ADELAIDE   Donn'Ama', donn'Ama'!
AMALIA (*un po' richiamata dal vocio del vicolo, un po' impressionata dal tono di voce di Adelaide, entra dalla
«vinella» e chiede curiosa*)   Ch'è stato?
ADELAIDE   'O marito vuosto!
GENNARO (*entra dal fondo salutando con un gesto largo un
po' verso sinistra, un po' in alto sui balconi*)   Grazie!
Grazie a tuttu quante. Po' ve conto... Po' ve conto...
(*Veste miseramente con indumenti di fortuna. Il berretto è italiano, il pantalone è americano, la giacca è di
quelle a vento dei soldati tedeschi ed è mimetizzata. Il
tutto è unto e lacero. Egli appare molto dimagrito dal
primo atto. Il suo aspetto stanco è vivificato soltanto
dalla gioia che ha negli occhi di rivedere finalmente la
sua famiglia, e la sua casa. Porta con sé un involto di
stracci, messo a tracolla come un piccolo zaino e una*

scatola di latta di forma cilindrica, arrangiata con un
filo di ferro alla sommità, che gli serve come scodella
per il pranzo. Nel varcare la porta dà un fugace sguardo
intorno e ha un senso di sorpresa. La sua meraviglia poi
giunge al colmo nel vedere la moglie in quell'abbiglia-
mento così lussuoso. Quasi non la riconosce e, convinto
d'essersi sbagliato di porta, fa un gesto di scusa alla
donna, dicendo rispettosamente)   Perdonate, signora...
(Ed esce).

ADELAIDE (raggiunge Gennaro e lo invita a tornare sui
    suoi passi)   È ccà, don Genna'... Trasíte... Chesta è 'a
    casa vosta... 'A mugliera vosta, 'a vedite?

Gennaro riappare incerto, quasi non osando rientrare.
Guarda ancora intorno intontito alla vista del nuovo
volto della sua casa, poi i suoi occhi si concentrano su
Amalia ed esprimono un che di ammirazione e di pau-
ra. Amalia è rimasta come impietrita: non osa parlare.
Ha osservato lo stato miserevole del marito, ne ha su-
bito intuito le sofferenze. Ora con un filo di voce riesce
a dire soltanto:

AMALIA   Gennari'... (Questo nome è proferito con un to-
    no di voce in cui s'avverte come un'esclamazione, una
    meraviglia, un invito, un riconoscimento umano e an-
    che solidale).
GENNARO (quasi timido, come per scusarsi verso la moglie
    di non averla riconosciuta subito)   Ama'... Scusa, ma...
    (Avanza di qualche passo verso la donna; il suo volto si
    contrae in una espressione di dolore. Vorrebbe parlare,
    piangere, dare in ismanie gioiose, ma riesce appena a
    formulare un nome) Ama'... (Marito e moglie si abbrac-
    ciano e si stringono teneramente. Amalia istintivamen-
    te piange. Gennaro con voce di commozione) Nu sècu-
    lo, Ama'... (Amalia piagnucola; egli si asciuga una lagri-
    ma). Nu sèculo... (Scoppia in pianto).

Pausa. La prima a riprendersi è Amalia.

AMALIA (*cercando di rincuorare il marito*) E va buono, asséttate, ripósate, cóntame... Addó si' stato?

GENNARO (*come rivivendo per un attimo la sua orrenda odissea*) Accussí, Ama'... T' 'o cconto, accussí? Nun abbastano ll'anne sane pe' te cuntà tutto chello che aggio visto, tutto chello ch'aggio passato. 'E mmuntagne 'e carte ce vularríeno pe' puté scrivere tutt' 'a storia 'e chisti tridece, quattuordice mise ca simmo state luntano... Sta ccà, 'o vvi', Ama'... (*mostra gli occhi*) dint' 'a ll'uocchie... ncapo... Ma nun saccio 'a ddó aggi' 'a accumincià... (*Sorridendo bonario*) Mo pare ca m'aggio scurdato tutte cosa... 'A casa mia... Tu... 'O vico... 'Amice... (*Si passa una mano sulla fronte*) Chianu, chianu... (*Con tono improvvisamente deciso ed appassionato*) Parlammo 'e vuie, d' 'a casa... Amedeo... Rituccia... Maria...

AMALIA Rituccia sta poco bona.

GENNARO (*preoccupato*) E che ttene?

AMALIA (*superficiale*) Niente... Nu poco 'e freviccolla... Robba 'e criature...

GENNARO (*tenero*) Figlia mia... (*Ad Amalia*) Sta dinto? (*Ad un cenno di Amalia, esce per la prima a sinistra*).

ADELAIDE (*che fino a quel momento non ha staccato gli occhi da Gennaro*) Povero 'on Gennaro... Comme s'è sciupato... Dio! Dio! Io ve lasso, 'onn'Ama'... Ce vedimmo cchiú tarde... (*Avvicinandosi per il fondo, parla direttamente alla Madonna del vicolo*) Ah, Madonna! Miéttece 'a mana toia!

AMALIA (*parlando verso la prima a destra*) Guè, a te... Iesce ccà ffore... È turnato pàteto!

MARIA ROSARIA (*entra asciugandosi gli occhi e ravviandosi i capelli smarrita*) È turnato papà...

AMALIA (*sprezzante*) Nun te fa vedé accussí cumbinata... E nun dicere niente... Ca si no a chillu pover'ommo lle vene na cosa...

AMEDEO (*correndo entra dal fondo e chiede ansioso*) Neh, dice ca è turnato papà...

GENNARO (*contemporaneamente riesce di spalle, parlando verso l'interno della camera di sinistra*) Ama', tene 'a freva forte... E nun me piace comme respira... (*Ora ri-*

*girandosi per volgersi ad Amalia vede Amedeo e gli si
ferma la parola in gola).*

AMEDEO   Papà!

Si abbracciano.

GENNARO   Amede'... (*Sempre stringendo a sé il figlio*) È nu
miraculo!

AMEDEO   E bravo papà...

GENNARO (*scorge Maria rincantucciata in un angolo, come
impaurita; per un attimo attende che la figlia gli venga
incontro; finalmente le dice con tono sorpreso, in cui
c'è un piccolo rilievo*)   Mari', ccà sta papà... (*Maria Ro-
saria non resiste: corre incontro al padre e lo abbraccia.
Ora Gennaro stretto tra i due figli è al colmo della
gioia. L'emozione gli dà un piccolo senso di confusa eu-
foria*) Si sapísseve... Si sapísseve... Po' ve conto... (*Si to-
glie il berretto, si libera dell'involto e muove verso la
sua cameretta del primo atto per riporre il tutto. Non
trovandola rimane come smarrito. Ha un piccolo moto
di disappunto. Poi ad Amalia*) E 'a càmmera mia?

AMALIA (*come per denunciare uno sconcio, ma con tono di
considerazione per il marito*)   'A càmmera, Genna'...

GENNARO (*alludendo un po' a tutte le trasformazioni avve-
nute in casa sua*)   Avite levata 'a miezo pure chella?

AMALIA (*come per giustificare l'iniziativa*)   Tu nun ce sti-
ve...

GENNARO   Certo, io non c'ero... (*Ma involontariamente
fissa l'angolo dov'egli dormiva e che è trasformato. Con-
vinto*) Me dispiace nu poco... (*Pausa lunga. Osserva
ogni cosa, i mobili, gli oggetti con spirito analitico, dan-
do ogni tanto ad Amalia un'occhiata di soddisfazione*)
Certo... cosí è piú bello.

AMEDEO   Ma... tu addó si' stato, papà?

GENNARO (*sincero*)   Nun 'o ssaccio. Io si ve voglio dicere
addó so' stato, effettivamente nun 'o ssaccio di'... Asset-
tàteve... (*Appoggia il berretto, l'involto e la scatola di
latta su una sedia in fondo e siede fra i due figli con
Amalia di fronte a lui*) Dunque... che v'aggi 'a di'?

Quando venne l'ordine di evacuazione pe' via d' 'a fa-
scia custiera 'e treciento metre... In un'ora e mezza:
«sgombrate!» (*Verso Amalia*) Te ricuorde? 'A gente cu'
'e mappate, 'e valigge...

AMALIA (*rivivendo la scena*) Comme...

GENNARO Io me truvavo 'a parte 'o Reclusorio... Turna-
vo 'a Frattamaggiore addó era iuto a pigliá diece chile
'e mele e quattro chile 'e pane... Quattuordici chilome-
tri cu' quattuordice chile ncopp' 'e spalle... Nun te dico
'a fatica... (*Come per concludere*) Basta! Pe' miezo 'a
via se spargette 'a voce ca ci doveva essere il bombar-
damento dal mare... «Fuíte! 'O ricovero». «Bumbarda-
no 'a mare!» «So' 'e ccurazzate americane!» «Iateven-
ne 'o ricovero». Io pensavo a te, pensavo 'e figlie...
Comme ce ievo 'o ricovero? (*Come sfida ad eventi im-
ponderabili*) Bombardate 'a do' vulite vuie... 'A mare,
'a cielo, 'a terra, 'a sotto terra... Io arrivo 'a casa! E me
menaie... sempe ch' 'e quattuordice chile ncopp' 'e spal-
le... E chi 'e llassava... P' 'a strada se sparava 'a tutte
parte... Ma ch'era l'inferno? 'A ncopp' 'e ccase... 'a
dint' 'e puteche... 'a sotto 'e fugnature... Gente ca fuie-
va... 'E mmitragliatrice... 'E tedesche... 'E muorte nter-
ra... Mmiezo a chillo fuie fuie... avette na vuttata... e
cadette io, 'o pane e 'e mele! Sbattette cu' 'a capa nter-
ra, m'arapette tutto chesto... (*Mostra la base del cra-
nio*) Me ricordo sulo chesta mano chiena 'e sango...
(*Mostra la mano sinistra, come se fosse ancora bagnata*)
Sentenno sempe sparà, perdette 'e senze... (*Consideran-
do la gravità del danno*) Chi sa chelli mmele chi s' 'e
mangiaie... (*Pausa*). Quanno po' accumminciaie a capí, di-
ciamo, che mi tornava il sentimento, me sentevo astri-
gnuto, affucato, e sentevo voce 'e gente ca alluccava...
Io me vulevo mòvere, ma nun putevo... 'E ggamme ca-
pivo ch' 'e ttenevo... ma nun m' 'e ssentevo... (*Come
formulando una delle mille ipotesi che gli vennero in
mente in quel momento*) Forse stongo sott' 'e mmace-
rie 'e nu ricovero, cu' ata gente ncuollo... (*La nuova sen-
sazione annulla la precedente*) Nu rummore 'e treno ca
s'avvicinava... 'O sentevo 'a luntano... E po' cchiú for-

te... E stu ricovero curreva, curreva... Io allora nzerraie
ll'uocchie pe' sèntere meglio... Dico: «Ma allora è tre-
no?» Io sentevo 'o rummore d' 'e rrote... Era treno!
Nu poco 'e luce ca traseva e asceva... Pe' quantu tiem-
po? E chi 'o ssape... Po' nu silenzio... E a poco a poco
me sentevo sempe cchiú libero... Sempe cchiú spazio ca
me putevo mòvere... Sempe cchiú luce... Sempe cchiú
aria ca putevo respirà... Gente ca se muveva... Ca scen-
neva 'a dint' 'o treno. E appriesso a loro scennette pu-
r'io... Addó stevo? A quale paese? E chi 'o ssape! Me
mmedecàieno 'a ferita dint' a na nfermaria da campo e,
doppo nu paro 'e iuorne, nu sergente tedesco vulette sa-
pé 'a me io che mestiere sapevo fare... Io, cu na paura
ncuorpo, penzaie subito, dicette: «Ccà mo si dico ca
faccio 'o tranviere, chisto dice... (*Cercando di rifare il
piglio del sergente di cui parla*) "Qua tranvi non ce ne
sono... Voi siete inutile..." (*Fa il gesto di sparare col
mitra imbracciato*) Paraparapà... E ti saluto...»

AMEDEO (*alludendo al sistema sbrigativo dei nazisti*)   E
chille levano súbbeto 'a frasca 'a miezo!

GENNARO   ... Me quadraie nu poco e dicette: «Faccio il
manovale... Alzo le pietre...» (*Grave, come per far com-
prendere ai familiari a quali snervanti e dure fatiche fu
sottoposto*) E n'aggio aizàte prete, Ama'... Senza ma-
gnà, senza vévere, sotto 'e bumbardamente... L'avett' a
riuscí simpatico pecché veneva a parlà sempe cu' me...
Io nun 'o capevo e dicevo sempe ca sí... E accussí se ne
passaieno tre mise... Po' me ne scappaie nzieme a cier-
t'ati napulitane... Ce cumbinaime... S'avutaie uno, di-
cette: «P'ammore 'a Madonna, chille ce sparano». «E
ce sparano, – dicette io. – Meglio la morte!» Nun era
vita Ama'... E accussí, 'e notte, paise pe' paise... (*Arre-
sta il suo discorso, poi come parlando a se stesso, rievo-
ca, gli occhi fissi nel vuoto*) O ncopp' a na carretta... O
ncopp' a nu staffone 'e treno... O a ppede... Aggio cam-
menato cchiú io... Che sacrileggio, Ama'... Paise distrut-
te, creature sperze, fucilazione... E quanta muorte... 'E
lloro e 'e nuoste... E quante n'aggio viste... (*Atterrito
dalla visione che gli ritorna alla memoria piú viva con*

tutti i suoi particolari) 'E muorte so' tutte eguale...
(*Pausa. Con tono sempre piú commosso, come per rivelare la sua nuova natura*) Ama'... E io so' turnato 'e n'ata manera, 'o ssa'? Tu te ricuorde quann'io turnaie 'a ll'ata guerra, ca ghievo truvanno chi m'accedeva? Nevrastenico, m'appiccecavo cu' tutto quante... (*Ad un gesto affermativo di Amalia, incalza*) Ma sta vota, no! Chesta, Ama', nun è guerra, è n'ata cosa... È na cosa ca nun putimmo capí nuie... Io tengo cinquantaduie anne, ma sulamente mo me sent'ommo overamente. (*Ad Amedeo, battendogli una mano sulla gamba, come per metterlo sull'avviso*) 'A sta guerra ccà se torna buone... Ca nun se vo' fa' male a nisciuno... (*Poi ad Amalia come obbedendo ad una fatalità imponderabile con tono di ammonimento*) Nun facimmo male, Ama'... Nun facimmo male... (*La somma di tutte le emozioni provate, quelle del ritorno, delle sue stesse parole rievocatrici, del trovarsi fra i suoi cari e piú perché si sente meschino in tanta tragedia scontata, gli provoca una crisi fisica: scoppia in pianto*).

AMALIA (*turbata, suo malgrado commossa*) E va buono, Gennari'...

AMEDEO (*confortando Gennaro*) Papà...

GENNARO (*quasi mortificato per la sua debolezza, si rianima, accennando un mezzo sorriso*) E che vvulite fa'... (*Come per ripigliare il racconto*) Po'... (*Le vicende sono tante ch'egli non sa né riassumere, né analizzarne le sensazioni salienti*) Mo... (*Come indeciso*) 'a capa m'avota... M' 'a sento dint' a nu pallone... N'ata vota paise paise... (*Afferrando a volo il filo d'un ricordo*) Cunuscette a uno... Sentite... E nzieme cu' chisto durmévemo dint' a na stalla abbandunata... Io 'a matina ievo a faticà come potevo e dove potevo e 'a sera me ritiravo int' a sta stalla... Io vedevo ca chisto nun asceva maie... Se facette na tana mmiez' 'a ciertu lignammo viecchio... 'A notte parlava int' 'o suonno... (*Imitando la voce roca e terrorizzata del compagno*) «Eccoli! aiuto! lasciatemi!» Me faceva fa' cierti zumpe... Ama', chill'era ebbreo...

AMALIA (*con partecipazione*) Uh, pover'ommo!

GENNARO 'O povero cristiano era ebbreo... M' 'o cunfes-
saie doppo duie mise ca stevemo nzieme... 'A sera io me
ritiravo... Purtavo o pane e furmaggio, o pane e frutta,
o frutta sulamente... E mangiàvemo nzieme... C'eramo
affratellate... (*Sorride, rievocando un particolare di quel-
la strana vita*) 'O bbello fuie quanno chillo se fissaie ca
io l'avarria denunziato... (*Ritornando serio*) Quello era
arridotto accussí (*cioè smunto*), pallido, cu' ll'uocchie 'a
fore: ciert'uocchie arrussute... Me pareva nu pazzo...
Na matina m'afferraie pe' pietto... (*Fa il gesto con la si-
nistra di violenza e con la destra minaccia un immagina-
rio interlocutore*) «Tu mi denunzi!» (*Sincero*) «Io non
ti denunzio». (*Ripigliando il tono dell'ebreo, accompa-
gnandolo con lo stesso gesto di prima*) «Tu vai a vende-
re la mia pelle...» (*Piú sincero e un po' spazientito*) «A
me nun me passa manco p' 'a capa... Io voglio turnà 'a
casa mia...» (*Ora l'intonazione dell'ebreo è implorante*)
«Non mi denunziare... Non mi denunziare...» E chia-
gneva. (*Serio*) Ama', si ll'avisse visto 'e chiagnere... Nu
piezzo d'ommo cu' 'e capille grige... cu' 'e figlie giova-
notti... me facete vedé 'e ffotografie... Questa che bar-
barie... Dove siamo arrivati... Sono cose che si pagano,
Ama'... 'O tengo nnanze all'uocchie... Cu' 'e mmane mie
mmano... m' 'e vvasava:... (*Ancora rifacendo il tono
dell'ebreo, come rievocando a se stesso*) «Non mi de-
nunziare...» (*Come rispondendo al compagno*) «Ma tu
t'he 'a fa' capace...» (*Ad Amalia*) Io 'o vulevo cunvin-
cere:... (*Sempre parlando all'ebreo*) «Primma 'e tutto
io sono un galantuomo, e si 'a Madonna ce fà 'a grazia
ca ce scanza e ricapiterai a Napoli, ti puoi informare».
Ma niente... Chillo penzava sempre 'a stessa cosa... Po'
n'ata vota paise paise... Passàiemo pure 'e llinee senza
vulerlo... Ce ne addunàiemo sultanto quanno vedètte-
mo surdate vestute 'e n'ata manera... Nun te dico 'o
piacere... Ce abbracciàiemo, ce vasàiemo... C'eravamo
affratellate... Io le dette pure l'indirizzo mio, dicete:
«Qualunque cosa...» (*Come dire: «disponi»*).
AMALIA (*ricollegando il personaggio dell'ebreo alla lettera
diretta a Gennaro di cui ella ha parlato nella scena con*

Errico, al marito) E forse sta lettera ch'è arrivata è 'a soia... (*La prende dal tavolo, dove l'aveva precedentemente lasciata e la porge a Gennaro*).

GENNARO (*osserva la lettera, ne scorge in calce la firma e, soddisfatto e sorpreso, esclama*) Sissignore... È isso... (*Con senso di umana solidarietà*) Menu male! È arrivato nsalvamiento pur'isso... (*Legge*) «Gentile signor Gennaro. Penso che finalmente è tornato fra i suoi e voglio farle giungere un mio saluto di grande compiacimento». (*Alla moglie*) Ha tenuto 'o pensiero... (*Continua a leggere*) «Sua moglie ed i suoi figli, qualunque sia stata la loro sorte, sono convinto che si saranno resi degni di lei e delle sue sofferenze...» (*Amalia accentua il suo turbamento, che riesce a stento a mascherare, dandosi una toccatina alla capigliatura*). «La gioia di averli ritrovati, come le auguro, la compenserà di tutte le sue ansie. Io, bene in salute...»

AMEDEO (*comprendendo che la lettera volge al suo termine, taglia corto, leggermente infastidito*) Insomma, papà, te l'he passata brutta...

GENNARO Nun ne parlammo... Nun ne parlammo... Nun v'aggio cuntato niente... Chesto è niente...

AMEDEO Ma mo staie ccà cu' nuie... Nun ce penzà cchiú...

GENNARO Nun ce penso cchiú? È na parola. E chi se pò scurdà...

AMEDEO (*superficiale*) Va buo', papà... Ccà è fernuto tutte cosa...

GENNARO (*convinto*) No. Ti sbagli. Tu nun he visto chello c'aggio visto io p' 'e paise... 'A guerra nun è fernuta...

AMEDEO Papà, ccà oramai stammo cuiete.

GENNARO (*compiaciuto*) 'O vveco, 'o vveco... Quanta vote aggio scanzato 'a morte! Ama', proprio a pelo a pelo... Io aggi' 'a ji' a Pumpei... (*Si alza, guardando intorno, soddisfatto*) E si murevo, io nun avarria visto stu bellu vascio rinnovato, sti mobile nuove, Maria Rosaria vestuta elegante... Pure Amedeo... Tu cu' sta bella veste comme a na gran signora... (*Scorgendo gli orecchini, gli ori e le mani inanellate di Amalia, rimane per*

un attimo perplesso. Amalia istintivamente cerca di na-
scondere, come può, tanta ricchezza). Ma, famme vedé,
Ama'... (*Incredulo*) Ma chiste so' brillante?

AMALIA (*come a sminuire l'importanza delle sue gioie*)
Sí... So' brillante, so' brillante...

GENNARO (*si rannuvola, formula mille ipotesi nel suo cer-
vello e si sforza a scartarne proprio quelle che con piú
insistenza prendono evidenza di certezza. La pausa de-
ve essere lunga. Istintivamente guarda Maria Rosaria
con diffidenza. La ragazza abbassa lievemente lo sguar-
do. Ora è con tono serio e indagatore che interroga la
moglie*)   E... Famme sapé quacche cosa, Ama'...

AMALIA (*simulando con un sorrisetto*)   E che t'aggi' 'a fa'
sapé, Gennari'? Ce simmo mise nu poco a posto... Ame-
deo fatica e guadagna buono... Io faccio 'o ppoco 'e
cummercio..,

GENNARO (*allarmato*)   Avess' 'a fa' 'o muorto n'ata vota?

AMALIA (*coglie l'attimo spiritoso per poter deviare il cor-
so della discussione, trovando quindi opportuno di ri-
dere alla battuta del marito piú di quanto dovrebbe*)
No... Che vaie dicenno, Gennari'.

GENNARO (*mettendo le mani avanti*)   Nun me facite fa' 'o
muorto, ca 'o ttengo pe' malaurio... (*Rievocando*) Nei
momenti piú di pericolo, me vedevo sempe cu' chelli
quatto cannele nnanze... Dicevo: «Questa è stata la
mia iettatura...»

AMALIA (*tranquillizzandolo*)   Che c'entra? Adesso è un'al-
tra cosa... Cu' ll'inglese, cu' ll'americane...

GENNARO (*improvvisamente intenerito che le promesse for-
mulate dagli Alleati durante la guerra si siano concre-
tate in tangibili realtà*)   Aggio capito... Ce aiutano...
Chille 'o ddicevano ca ce avarrieno aiutate. E hanno
mantenuta 'a parola... (*Con altro tono*) E stu commer-
cio tuio in che consiste?

AMEDEO   Sta in società cu' Settebellizze.

AMALIA (*contrariata, come colta in fallo*)   Sí... facette-
mo società... Isso va e vene cu' 'o camionne. Fa traspor-
te...

GENNARO (*comprensivo*)   Trasporti... Società di traspor-

ti... Oh, e naturalmente, 'e camionne v' 'e ddànno gli
americani...

AMALIA (*amara*)   Già... (*Con lieve ironia*) Se va llà e se
dice: «Io vorrei uno o due camionni», e t' 'e ddànno...

GENNARO (*ribadendo la sua convinzione*)   Hanno mante-
nuto 'a parola. Già... Comme se dice... L'ommo cu' 'a
parola e 'o voio cu' 'e ccorne... (*Ad Amedeo, per infor-
marsi sulla sua attività*) Amede', e tu?

AMEDEO (*un po' interdetto*)   Io... m'arrangio cu' ll'auto-
mobile... (*Rinfrancato dall'interesse del padre alle sue
parole*) Quanno veco na macchina in buone condizio-
ni... 'a tratto... Compravendita (*Gennaro non sembra
molto soddisfatto da queste spiegazioni. Amedeo volge
il discorso sulla sorella. Sorridendo*) Maria Rosaria v'ha
fatto 'a surpresa... Se ne va in America. Se sposa a nu
surdato americano.

Maria Rosaria rimane nel suo atteggiamento di dispet-
toso mutismo, non osando guardare il padre. Amalia
«vulesse murí».

GENNARO (*sorpreso, ammirato, addolorato*)   Tu?... E me
lasse a me? Va llà, vatte'... Cu' n'uocchio mancante, ma
cu' papà... (*Abbraccia teneramente la figlia, che scoppia
a piangere, coprendosi il volto con le mani. Gennaro
attribuisce la crisi al fatto che Maria Rosaria sia costret-
ta, sposando, a lasciare la famiglia*) E nun chiagnere,
bell' 'e papà. Io nun te faccio partí... Papà te fa spusà
a nu napulitano... A uno d' 'o paese tuo...

ERRICO (*dal fondo con passo svelto*)   Ama'... (*Scorge Gen-
naro, si riprende, cerca di darsi un tono*) Ah... Ma... ma
ce sta pure don Gennaro? (*Guarda l'uomo, non crede
ai suoi occhi*).

GENNARO (*felice di rivedere il vecchio amico*)   Salute, Set-
tebelli'... (*Si abbracciano*). So' arrivato na mezz'oretta
fa... Po' ve conto... Po' ve conto...

ERRICO   E addó site stato?

GENNARO   E che vulite sapé. Nu romanzo... Ho sapu-
to che avete fatto società di trasporti con mia moglie...

che gli affari vanno bene e mi voglio congratulare con
voi...

ERRICO (*un po' perplesso, guardando Amalia*)   Che c'en-
tra? E donn'Amalia questo mi diceva poco fa... Ca ve
teneva nnanze a ll'uocchie a nu mumento a n'ato... E
siete capitato bene... Pecché dato che stasera capita 'a
nascita mia, donn'Amalia, sapendo che sono solo, mi ha
fatto l'onore di invitarmi qua... E noi facciamo una co-
setta fra di noi...

GENNARO (*approvando*)   E ha fatto buono... Che c'entra?
Voi siete solo... In questi momenti tristi è meglio unir-
si per stare insieme e scambiare una chiacchiera fra di
noi... (*Alludendo alla situazione presente*) 'O mumento
è triste... P' 'e paise addó so' stato io se sente ancora 'o
cannone 'a vicino... 'E bumbardamente tuorne tuorne
continuamente... ca io vi giuro sono rimasto ca si sento
sbattere na porta, mi si gela 'o sango dint' 'e vvene. E
mi sono trovato...

ERRICO (*troncandogli la parola*)   Va buo', don Genna',
nun ce penzate cchiú... (*Alludendo alla cena imminen-
te*) Vengono pure diversi amici e ce spassammo nu po-
co...

GENNARO   Ce spassammo? Vuie pazziate? (*Come per ri-
chiamare alla realtà un po' tutti i presenti*) 'A guerra
non è fernuta...

ERRICO   Avite visto 'o vascio rinnovato?

GENNARO (*senza convinzione*)   Bello, bello...

Maria Rosaria pianta tutti in asso ed esce per la prima
a sinistra.

'O MIEZO PRÈVETE (*entrando dal fondo con un grande
«ruotò» ricoperto da un panno bianco e dandosi un
gran da fare*)   Ccà sta 'o crapetto! (*Vede Gennaro:
trasecola*) Don Gennaro... Vuie comme state?

GENNARO (*con slancio di grande affettuosa gioia*)   'O Mie-
zo Prèvete! L'he scanzata pure tu! E io penzavo sem-
pe: «Va trova 'O Miezo Prèvete che se n'è fatto».

'O MIEZO PRÈVETE   Ce 'avimmo scanzato, 'o vvedite? Miracolosamente...

ERRICO (*mostrandogli il «ruoto»*)   Don Genna', questo è il capretto al forno, con le patate, per il pranzetto che vi ho detto...

GENNARO (*annusando la grossa cibaria*)   Caspita! Capretto al forno con patate... (*Rievocando*) Eh... So' venute cierte mumente 'a parte 'e coppa ca si avessemo visto nu ruoto 'e chisto ce sarríemo scannate l'uno cu' ll'ato pe' ce 'o sceppà 'a mano... (*E cerca di far cadere il discorso sopra l'argomento che tanto gli sta a cuore*) Che momenti... Che momenti... Figuratevi ca mmiez' a na campagna, annascunnute dint' a nu fuosso, pecché attuorno cadevano granate e cannunate... l'inferno apierto, 'on Erri'... stettemo tre ghiuorne senza mangià e senza vévere, sette persone con due cadaveri sfracellati dalle schegge... (*Infervorandosi*) A nu certo punto...

'O MIEZO PRÈVETE (*che era rimasto in fondo a guardare nel vicolo, annunziando*)   Ccà sta pure 'o ruoto 'e puparuole e 'a parmigiana 'e mulignane! (*Entra un uomo che reca altri due «ruoti». A lui*) Viene appriesso a me! (*Escono per la prima a destra*).

GENNARO   Caspita! Pranzo completo! (*Ripigliando il discorso*) Dunque vi dicevo... Annascunnuto dint' a nu fuosso, pecché attuorno chiuvevano granate e cannunate... (*Amalia è sulle spine, Amedeo ogni tanto guarda l'orologio. Solo Errico finge attenzione, ma evidentemente pensa ad altro*). A nu certo punto...

AMALIA (*con dolcezza convenzionale*)   Aggie pacienza, Gennari'... Po' ce 'o ccunte cchiú tarde... Mo s'ha da mettere 'a tavula...

GENNARO   Ma è una cosa breve...

AMALIA   Doppo mangiato... Mo vèneno gente...

ERRICO   Arrivano gli amici...

GENNARO (*risolvendo*)   E allora me vaco a lavà nu poco 'e mmàne e me vaco a menà nu poco d'acqua nfaccia ca stongo chino 'e pòvere...

ERRICO   Bravo!

GENNARO (*avviandosi per la prima a sinistra*)   E po' ve

conto... Don Erri'... una cosa da rabbrividire chello che
hanno visto gli occhi miei... L'altra guerra era uno
scherzo... (*Ed esce*).

Amalia non osa guardare Errico, che va a sedere ingru-
gnito fuori del basso.

ASSUNTA (*dal fondo ad Amalia, volenterosa*)   Donn'Ama'
io aggio penzato ca siccomme si sta facendo ora, so' venu-
ta a darve na mano...
AMALIA (*approvando*)   Sí... he fatto buono... Pecché mo
si sapisse 'a capa addó sta... S'ha da mettere 'a tavula...
ASSUNTA (*servizievole*)   E dicite a me... (*Amalia prende
una tovaglia dal tiretto di un mobile e la porge ad As-
sunta, la quale si dispone ad apparecchiare la tavola,
aiutata da Amedeo. Infatti per ingrandire la mensa, i
due aggiungono al tavolo centrale un piccolo tavolo di
dimensioni ridotte, che mal si accompagna all'altro*). 'A
zia se sta priparanno... S'ha miso nu bellu vestito nuo-
vo... Chella, che ve credite? sta guadambiando nu sacco
'e denare pur'essa... S'industria... Io non mi scambio...
stono in lutto... Resto accussí... (*Amedeo esce per la
prima a destra per andare a prendere qualche cosa. As-
sunta, con tono precauzionale*) Donn'Ama', dice ca è
turnato don Gennaro, è ove'? A me m' 'ha ditto 'a zia...
Dice che si è molto sciupato. E chesto dicevamo cu' 'a
zia... Mo sa' comme sta donn'Amalia... E quann' 'appu-
ra Settebellizze... (*Fa un gesto come dire: «sentirai!»*)
Pecché mo certamente ha fernuto 'e...
ERRICO (*interrompendola con durezza*)   'E che?
ASSUNTA (*come colta in fallo*)   'E niente...
ERRICO (*masticando amaro*)   E tu tózzete sempe cu' mmi-
co!
ASSUNTA (*rimproverando se stessa*)   Embè, che ce vulite
fa'...

Entra Amedeo con l'occorrente per preparare la tavola
e si dispone con Assunta ad apparecchiare. Amalia, un
po' infastidita per la gaffe di Assunta, esce per la prima

a sinistra. Entrano dal fondo Peppe 'o Cricco e Federi-
co, seguiti da altri tipi di uomini e di donne invitati al-
la cena. I nuovi venuti si fermano presso Errico e calo-
rosamente gli dànno gli auguri con frasi a piacere. Gli
uomini sono vestiti di scuro, le donne hanno lussuose
mantelle di pelliccia, magari sopra gli sciamannati abiti
d'ogni giorno. Tutti ostentano la piú pacchiana chinca-
glieria di gioielli. Dopo un po' entra Adelaide, anch'es-
sa vestita a festa. Qualcuno ha recato fasci di fiori,
qualche altro cestini ed altri doni. 'O Miezo Prèvete,
sopraggiunto, provvede a disporre i regali in giro per
adornarne l'ambiente. Si crea un'atmosfera di festa e di
euforica «squarcioneria» intorno al «divo» Settebelliz-
ze, che ricambia a ciascuno sorrisi e ringraziamenti con
la sua aria di superiorità e di protezione.

PEPPE   Eccoci qua per festeggiarvi come è dovere...
ERRICO   Grazie. Ma la festa non si fa piú per me. Abbia-
mo dovuto modificare l'indirizzo. Si fa per don Genna-
ro che è tornato.
FEDERICO   Sí, ll'aggio saputo.
PEPPE   (*vedendo Gennaro che entra dalla prima a sinistra*)
'O vedite llà... (*E muove per andargli incontro con le
braccia aperte*) Don Genna', salute...
GENNARO   Salute a voi, Pe'...

Muove verso il gruppo degli invitati che lo accolgono
con grande calore. Strette di mano, qualche abbraccio.

PEPPE   Che ve ne site fatto tutto stu tiempo?
GENNARO   Nun ne parlammo... Sto ccà. Me pare nu mira-
culo, ma sto ccà... (*Osserva il lusso che ricopre gli invi-
tati e istintivamente tocca la sua giacca che gli sembra
piú lacera in contrasto con tanta sciccheria. Il contrasto
lo rende mortificato, impacciato, timido. Quasi a voler-
si giustificare*) Caspita... Che lusso! Mi dispiace sola-
mente che io non sono presentabile e degno di voi..
Chisto 'o vedite (*mostra il suo abbigliamento*) è come
se fosse una gloriosa bandiera di reggimento... E si pu-

tesse parlà... (*Si dispone a raccontare*) Figurateve ca
mmiez' a na campagna, annascunnuto dint' a nu fuosso
pecché attuorno chiuvévano granate e cannunate... (*S'interrompe come per cercare un interesse alle sue parole,
ma intorno non riesce a trovarlo: i suoi ascoltatori già
appaiono distratti, tranne qualcuno che, muovendo il
capo in senso affermativo, finge di interessarsi*) ... stètte-
me tre giorni senza mangiare e senza bévere nu surzo
d'acqua, sette persone con due cadaveri sfracellati dalle
schegge... A nu certo punto...

FEDERICO (*sorvolando*)   Va buo', don Genna', nun penza-
te a malincunie... Mo state mmiez' a nuie ca ve facim-
mo scurdà tutte cosa...

ADELAIDE   Avit' 'a mangià, avit' 'a bévere e v'avit' 'a
ngrassà nu poco, pecché ve site sciupato abbastanta-
mente...

FEDERICO (*approvando*)   Brava! Proprio accussí... (*Scherzoso*) Don Genna', questo è il disegno di legge...

Tutti ridono. 'O Miezo Prèvete esce.

PEPPE (*si stacca dal gruppo che continua a festeggiare don
Gennaro e preso per un braccio Amedeo che ha termi-
nato di apparecchiare, lo conduce in disparte, verso si-
nistra, quasi al proscenio, dicendogli con circospezione*)
Dunque?...

AMEDEO   E... dunque, niente!

PEPPE (*contrariato e sorpreso*)   Comme?...

AMEDEO   Pe', io nun voglio ji' ngalera. Settebellizze m'ha
fatto nu discorso... Mo è turnato pure papà...

PEPPE (*insinuante*)   Ma comme... Maie comme a mo è
una operazione senza pericolo. L'ingegnere, 'a sera, las-
sa 'a machina dint' 'o vico 'a Neve, ncopp' 'a scesa...
Chillo ca sta 'e guardia è d'accordo cu' me: se fa truvà
attaccato e cu' 'o fazzuletto vicino 'a vocca...

Continuano a discutere sottovoce.

GENNARO (*invitando tutti a prendere posto, con cordialità*)

Entrate... Entrate... Ve state lloco ffore. 'O vascio è rrobba vosta!

Tutti avanzano ringraziando, mentre dalla prima a sinistra compare Amalia seguita da Maria Rosaria. Amalia sfoggia anch'essa una ricchissima mantella di volpi argentate. Maria Rosaria si apparta.

AMALIA   Buona sera!
TUTTI (*ammirati*)   Buonasera, donn'Ama'...
PEPPE (*alludendo al tolettone*)   Sta bene!
ADELAIDE   Quant'è bella 'a cumannante.

Gli altri si esprimono euforicamente con frasi a piacere.

AMALIA (*un po' per la sua natura, un po' montata dalla festa che le hanno fatto tutti, con aria spaccona e gesto largo*)   Assu', dincello a 'O Miezo Prèvete ca cuminciasse a purtà... (*Assunta di sotto alla porta di destra fa un gesto significativo. Amalia agli altri*) Assettàteve!

I presenti circondano la mensa allegramente e si seggono intorno. Gennaro sbalordito da quella scena, guarda sempre piú intimidito la toletta della moglie.

ADELAIDE   Don Genna', assettàteve!
GENNARO   Ma la vita è veramente un cinematografo! Io me veco mmiez' a vuie e nun 'o ccredo... (*Siede*).
ERRICO   E che ce vulite fa'...
GENNARO   E che abbiamo sofferto... 'A famma sarria stata niente... 'A sete sarria stata niente... Ma llà erano proprio le sofferenze morali... E po', il pericolo della morte... (*Disponendosi a raccontare di nuovo con pazienza*) Figurateve ca mmiez' a na campagna, annascunnuto dint' a nu fuosso, pecché attuorno cadevano granate e cannunate... a nu certo punto nu camionne...
ERRICO (*come ricordando una cosa importante*)   A proposito... Scusate, don Genna', si no me scordo... (*A Fede-

rico) Federi', ce sta nu camionne ca se venne... L'aggia ji' a vedé dimane... Tene pure 'o permesso e circolazione... Se t'interessa...

FEDERICO   E comme non m'interessa? Mo pigliammo appuntamento pe' ji' dimane... Vene pure Peppe 'o Cricco...

ERRICO (*come per dire: «L'affare non è importante»*)   Llà ce sta 'o diece pe' ciento...

PEPPE   Ce facimmo na scampagnata...

GENNARO (*è stato ad ascoltare i tre sempre con l'idea di riprendere il discorso non appena possibile. Ora ripiglia*) Dunque... Annascunnuto dint' a nu fuosso, pecché attuorno cadevano granate e...

PEPPE (*rifacendo il tono di Gennaro*)   ... e cannunate...

TUTTI (*infastiditi e richiamando don Gennaro, bonariamente*)   Don Genna'...

'O MIEZO PRÈVETE (*entra recando il ruoto, trionfalmente*) Ccà sta 'o crapeto! (*Lo porta in tavola, accanto ad Amalia*)

PEPPE   Mo ce 'o ntussecate stu ppoco 'e crapeto!

ASSUNTA   Nuie ce vulimme gudé nu poco 'e pace... Penzate 'a salute... Oramai è fernuto.

GENNARO   Ma vuie che state dicenno? Ch'è fernuto?

ERRICO   E va bene, comme vulite vuie... Ma mo mangiammo, nun penzammo a guaie.

Amalia, rimboccatesi le maniche della pelliccia, comincia a fare le porzioni. 'O Miezo Prèvete esce per la prima a destra. Tutti cominciano a mangiare, parlottando e ridendo fra loro.

GENNARO (*osserva, medita. Lo assale un senso di malinconia che non può nascondere. Si alza deciso*)   Ama', io stongo nu poco dint' addu Rituccia... (*E si avvia verso la prima a sinistra*).

ERRICO (*meravigliato*)   Don Genna', che ffacite? Ve ne iate?

TUTTI (*delusi*)   Don Genna'...

GENNARO   Stongo nu poco dint' add' 'a piccerella. Tene 'a
freva forte.

AMALIA (*poco convinta*)   E ce vaco io...

GENNARO   Gnernò, statte lloco... Io nun tengo manco ap-
petito... È cchiú 'a stanchezza... Statte tu a tavola...
(*Con un po' d'intenzione*) È meglio... (*E fa per anda-
re*).

MARIA ROSARIA (*s'alza e raggiungendo il padre, decisa*)
Vengo cu' te, papà... (*Gennaro la prende per mano e si
avvia*).

ADELAIDE (*levandosi e avvicinandosi anch'essa a Gennaro*)
Don Genna', pare brutto... Io 'o ccapisco, vuie state an-
cora nu poco impressionato... Come fosse spaventato...
Ma v'avit' 'a calmà... Oramai ccà stammo cuiete... È
fernuto tutto cosa...

GENNARO (*convinto*)   No! Vuie ve sbagliate... 'A guerra
nun è fernuta... E nun è fernuto niente!

Muove ancora di qualche passo, mentre Adelaide, un
po' mortificata, ritorna a sedere. Vorrebbe, Gennaro,
continuare il suo discorso alla figlia, ma si accorge che
questa abbassa lo sguardo. Ha un attimo di esitazione,
di incertezza, ma nessun sospetto. Soltanto è preso da
una istintiva comprensione che lo rattrista. Trae a sé in
un tenero abbraccio la fanciulla, come per stabilire piú
intima la loro confidenza, le chiede con un gesto: «Co-
s'hai?» Maria Rosaria risponde: «Nulla». Escono.

'O MIEZO PRÈVETE (*trionfalmente portando due fiaschi di
vino da destra*)   Ccà sta 'o vino!

Un «oh!» di soddisfazione generale. Poi festosamente
ripigliano tutti a mangiare, un po' parlando di Genna-
ro che ha lasciato la tavola, un po' d'affari e un po' del-
la bontà del cibo.

Il giorno dopo. La stessa scena del secondo atto. È sera inoltrata. I lumi davanti alla Madonna del vicolo sono accesi. Il brigadiere Ciappa è seduto accanto al tavolo centrale. Gennaro passeggia lentamente in fondo e di tanto in tanto si sofferma a guardare fuori del vicolo.

CIAPPA (*dopo una pausa*) Io da quando feci la sorpresa in casa vostra, mi sono sempre ricordato di voi con una certa simpatia. Diverse volte sono passato pure da qua, durante il tempo che siete stato assente, e ho domandato sempre notizie vostre. Ecco perché sono venuto... E mi dispiace... Io pure tengo 'e figlie: tre chiuove 'e Dio! Songo n'ommo 'e munno, insomma; m'immedesimo in certe situazioni, capisco quanno ce sta 'a mala fede e quanno invece uno comme a vuie...

GENNARO (*lo interrompe, convinto e grato*) Capisco, brigadie', capisco tutto e vi ringrazio. Quello che mi avete detto nei riguardi di mio figlio Amedeo, in un altro momento m'avarria fatto ascí pazzo e chi sa comme me sarria regolato. Ma mo che faccio? N' 'o caccio d' 'a casa? E mia figlia? E mia moglie? Mia moglie ca nun ha saputo fa' 'a mamma...

CIAPPA Ma io nei riguardi di vostro figlio non vi ho detto tutto... (*Con improvvisa gravità*) Stasera l'aggi' 'a arrestà...

GENNARO (*rassegnato*) Si s' 'o mmèreta...

CIAPPA Eh, sí! È diverso tempo che 'a squadra mia tene d'uocchio a isso e a Peppe 'o Cricco. Don Genna', cose di Santo Uffizio! Ccà 'a gente è priva 'e lassà na machina... Na vutata d'uocchie, nun 'a trova cchiú... Questo

Peppe 'o Cricco, po', tene n'abilità speciale: se mette sott' 'e machine e ll'aize cu' na spalla. Comme fa, io nun capisco... Svitano primma 'e bullone, 'e cu' 'o sistema d' 'a spalla, sfilano 'e ggomme 'a sotto. Stasera devono fare un lavoretto di questo genere. Sapete, quacche cosa l'appurammo pure nuie... Hanno preparato nu mpuosto pe' na machina dint' 'o vico 'a Neva 'a Turretta... Si 'e ncoccio ncopp' 'o fatto aggi' 'a mettere 'e mmanette a Peppe 'o Cricco e a vostro figlio...

GENNARO (*freddo, quasi implacabile*) E vuie mettitece 'e mmanette...

CIAPPA (*sorpreso dal tono di don Gennaro*) L'arresto?

GENNARO (*conseguenziale*) Si 'o ncucciate ncopp' 'o fatto, arrestatelo.

ASSUNTA (*dalla prima a sinistra, chiede ansiosa*) È turnata donn'Amalia?

GENNARO No.

ASSUNTA (*scoraggiata*) Neppure Amedeo?

GENNARO No.

ASSUNTA E quanno vèneno? Chillo 'o dottore sta aspettanno.

IL DOTTORE (*dalla prima a sinistra, seguito da Adelaide, entra il dottore. È giovane, all'inizio della carriera, ma pronto e intelligente. Ha l'abito modesto, un po' liso, ma distinto*) Si è visto nessuno?

GENNARO Nisciuno ancora, dotto'.

IL DOTTORE (*spazientito*) Santo Dio, io v' 'aggio ditto... Guardate che lo stato della bambina è grave veramente...

ADELAIDE (*invocando l'aiuto celeste*) Sant'Anna!

ASSUNTA (*che le si è avvicinata, inizia l'*Ave Maria *all'unisono con sua zia, col tono classico usato dalle beghine*) Ave Maria, gratia plena, Dominus tecum, benedicta tu in mulieribus... (*Il resto viene biascicato*).

IL DOTTORE (*dando un'occhiata alle due donne*) È veramente grave! Soprattutto pecché ve site ricurdate all'ultimo momento 'e chiammà 'o dottore.

ADELAIDE Vergine Immacolata!

Assunta ripiglia come prima l'*Ave Maria*.

IL DOTTORE (*commiserando le due donne*) Già, queste
  sono le maledette abitudini di voialtre, che nun saccio
  comme campate...

ASSUNTA (*candida*) No, sapite che d'è? Ca nuie 'e miedi-
  ce 'e ttenimmo pe' malaurio.

IL DOTTORE (*impermalito*) E allora murite. Ma nun ce
  mettite mmiez' 'o mbruoglio all'ultimo mumento. Ma-
  laurio! Me piace ca m' 'o ddice nfaccia! Intanto mo stu
  malaurio sa che te dice? Ca, 'a nu mumento all'ato,
  chella povera criatura se ne va all'atu munno!

ADELAIDE Sant'Arcangelo Gabriele! (*Assunta prega. Ade-
  laide, troncando la preghiera e con un tono piú che con-
  fidenziale*) Santa Rita, santa Rita, chella porta 'o nom-
  me tuio. (*Ripiglia l'Ave Maria con Assunta*).

IL DOTTORE Ma voi è inutile che convocate il paradiso
  sano sano. Questi sono sentimenti che vi onorano. La
  fede è una gran bella cosa. Ma, ccà, si nun portano 'a
  mmedicina ch' aggio ditto io, 'a piccerella se ne muore.

ADELAIDE (*risentita*) Dotto', e ce 'o state chiammanno
  ncuollo, a chell'anema 'e Dio!

ASSUNTA 'O vvedite ca avimmo ragione nuie?

IL DOTTORE (*completando la frase*) Ca simmo malaurie?

ADELAIDE (*rassicurandolo*) No... Ma che saccio, uno pu-
  re dice: «Speriamo. Non è detta l'ultima parola...»

IL DOTTORE No. L'ultima parola è detta. E l'ho detta io,
  se non vi dispiace. Speriamo, se capisce... L'ultima a
  perdersi è la speranza. Se si trova la medicina, con no-
  vantanove probabilità su cento la bambina si salva.

ADELAIDE Sant'Antonio 'e Pusílleco!

Assunta prega. Poi le due donne escono per la prima a
sinistra.

IL DOTTORE (*dando un'occhiata all'orologio*) Guarda ccà,
  s'è fatto pure tarde...

CIAPPA Ma è difficile a truvà sta medicina?

IL DOTTORE   Difficile?... Oggi tutto si trova difficilmen
te... A quest'ora... E pure si fosse 'e iuorno... Qualun
que medicina costa un occhio. E se si trova, si trova a
mercato nero. Basta, io aspetto un altro poco.

GENNARO   Scusate, dotto'.

IL DOTTORE   Niente. Permettete. (*Esce per la prima a si
nistra*).

GENNARO (*amaro*)   Se si trova, si trova al mercato nero
Quanno 'o duttore ha ditto: «Se non si trova, la bam
bina muore», avísseve visto 'a mamma... È currut;
comme se truvava p' 'a casa. E mo starrà sbattenno p
tutta Napule. 'A trova? E chi 'o ssape! 'O duttore h;
ditto: «Solo a borsa nera la potete trovare». Muglière
ma ha fatto 'a faccia bianca.

AMEDEO (*entra dal fondo di corsa, affannando. La presen
za di Ciappa lo impressiona un po'; ma si riprende. Ri
volto a Gennaro*)   Niente. Chelli ddoie o tre farmaci
aperte nun 'o ttèneno. So' stato a Furcella, 'o Pallunet
to, dint' 'o Cavone. Aggio domandato vascio pe' vascio
niente! Dice: «Dimane... Si càpita...»

'O MIEZO PRÈVETE (*dal fondo, trafelato*)   Facìteme asset
tà. Tengo 'e piede ca m'abbruciano. (*E siede sulla pri
ma sedia che gli capita*).

IL DOTTORE (*dalla prima a sinistra, interrogando i nuov
arrivati*)   Mbè?

'O MIEZO PRÈVETE (*gli si avvicina mostrandogli le medic;
ne che ha con sé*)   Dotto', queste ho trovato; si putit
arrangià...

IL DOTTORE   Arrangio? Se è roba indicata... (*Osservand;
la merce*) Chesta serve p' 'a rogna...

'O MIEZO PRÈVETE (*volenteroso*)   E nun è bona?

IL DOTTORE (*sconfortato*)   Sentite: ma io di fronte all
fessaggine, mi tocco i nervi!

'O MIEZO PRÈVETE (*porgendogli un altro flaconcino*)
vvedite chest'ata?

IL DOTTORE (*dando una rapida occhiata al prodotto*)   Que
sto serve per mandare indietro il latte alle partorient

'O MIEZO PRÈVETE (*sbalordito*)   Overo? (*Porgendogli u;
scatola*) E chesta?

IL DOTTORE (*respinge il tutto*) E chesta rrobba ccà nun
è indicata. (*Montando sulle furie*) He purtata tutta rob-
ba inutile! Santo Dio, te l'aggio scritto ncopp' a nu
piezzo 'e carta. Quanno nun era chello ch' aggio scritto
io, nun 'o ppurtave...

'O MIEZO PRÈVETE (*cercando di rabbonirlo*) Dotto' non
vi arrabbiate. Ccà nun è ca si può avere tutto comm' a
primma d' 'a guerra. Nu poco 'e buona volontà anche
da parte dei dottori... (*Testardo*) Vedite si putite ar-
rangià cu' chesto...

IL DOTTORE   Oi ni', mo te ne caccio 'a via 'e fore, e bona-
notte! N'ata vota: «Arrangio...» Ma che te cride ca sto
cusenno na mpigna o na meza sola? (*Prende dalla tasca
una stilografica e scrive qualche cosa sul blocco del suo
ricettario*) Fa' nu tentativo... (*Stacca il foglietto*) Va'
addu stu cullega mio. Si 'o ttene. L'indirizzo te l'aggio
scritto ccà ncoppa.

'O MIEZO PRÈVETE (*prendendo il foglio*) È luntano?

IL DOTTORE   In dieci minuti puoi andare e venire. Nun
purtà rrobba inutile ca t' 'o cchiavo nfaccia.

'O MIEZO PRÈVETE   Va bene. (*E di corsa esce per il fon-
do*).

IL DOTTORE   Permesso. (*Esce per la prima a sinistra*).

AMEDEO (*durante il dialogo, Amedeo ha girato per la ca-
mera preoccupato guardando un po' Ciappa, un po' il
padre, un po' l'orologio, un po' fuori del vicolo. È agi-
tato, combattuto. Non osa allontanarsi di casa, eppure
qualche cosa di interessante lo richiama altrove. Final-
mente si decide e con un mezzo sorrisetto affronta la
sua situazione di congedo*) È capace ca mammà l'ha
truvato... (*Allude al medicinale*) 'O pport'essa... Nu po-
co 'e pacienza... Papà tu staie lloco? Io arrivo fino 'a
Turretta.

Ciappa dà una lievissima occhiata a Gennaro.

GENNARO (*impassibile*) Se ne puoi fare a meno...

AMEDEO (*non ha indovinato lo stato d'animo del padre;*

anzi quella impassibilità lo incoraggia) È na cosa 'e premura. Ma io torno ampressa.

GENNARO (*non raccoglie, evade*) Eppure sapite che sto pensando, brigadie'? Ca vuie 'e chisti mumente, avit' 'a sta' sempre in movimento e in continuo esercizio delle vostre funzioni. (*Ad Amedeo*) Vaie 'e pressa?

AMEDEO (*esitante*) No.

GENNARO (*a Ciappa*) E già. (*Al figlio*) Asséttate. (*Amedeo, un po' colpito, quasi macchinalmente siede*). Pecché mmiez' 'o mbruoglio 'e na guerra, 'a delinquenza vene a galla. Cuntrabbandiere, accaparratori, truffatori... Circulazione con permessi irregolari, documenti falsi... Mariuole d'automobile... (*Amedeo trasale*). E io me ricordo sempre chello ca vuie me dicisteve chillu iuorno ca io facevo 'o muorte: «È sacrilegio a tuccà nu muorto, ma è cchiú sacrilegio a mettere 'e mmane ncuollo a nu vivo comme a te». Cierti cose se compatisceno... E vuie perciò nun me mettisteve 'e mmanette. Se capisce... Sta gente è viva, stu popolo è vivo, s'ha da difendere 'e na manera? 'O truffatore si t' 'a sape fa', tu dice: «Va bene, m'ha fatto scemo, ma insomma ha truvato nu sistema». E magari uno dice: «È simpatico». L'astuzia e 'o curaggio 'e circulà cu' nu camionne cu' 'e documenti falsi... E pure se pò dicere: «È n'ommo scetato, tene fegato, ha creato nu muvimento...» Quanta gente ha mangiato pe' via 'e sti camionne ca vanno e vèneno... E po' ha miso pure a rischio 'a pelle, pecché ncopp' a na strada provinciale se pò abbuscà pure na palla 'e muschetto... 'A prostituzione? Embè, brigadie'... E 'a guerra nun porta 'a miseria? E 'a miseria nun porta 'a famma? E 'a famma che porta? E 'o vvedite? Chi pe' miseria, chi pe' famma, chi per ignoranza, chi pecché ce aveva creduto overamente... Ma po' passa, se scorda, fernesce... 'E gguerre so' state sempe accussí... Avimme pavato... 'A guerra se pava cu' tutto... Ma 'o mariuolo, no! È ove', brigadie'? (*Ciappa fa un cenno come per dire: «Son d'accordo»*). Nun s'addeventa mariuolo pe' via d' 'a guerra. Mo qualunque cosa

damme colpa 'a guerra. Mariuolo se nasce. E nun se pò
dicere ca 'o mariuolo è napulitano. O pure romano. Mi-
lanese. Inglese. Francese. Tedesco. Americano... 'O ma-
riuolo è mariuolo sulamente. Nun tene mamma, nun te-
ne pato, nun tene famiglia. Nun tene nazionalità. E nun
trova posto dint' 'o paese nuosto. Tant'è vero ca prim-
ma d' 'a guerra, 'e mariuole pe' fa' furtuna attraversava-
no 'o mare...

AMEDEO (*non insospettito, ma perplesso*)   E pecché me
dice chesto, papà?

GENNARO (*non volendo compromettere in alcun modo il
piano legale di Ciappa, ma cercando, nel contempo, di
ricondurre il figlio sulla via onesta*)   No. Pecché... Sic-
comme 'o paese nuosto nun porta na bon' annummena-
ta... Che vuó fa'? È na disgrazia... Appena sentono:
«napoletano», già se mettono in guardia. Pecché è sta-
to sempe accussí. Quanno succede nu furto di abilità,
di astuzia dint' a n'atu paese d' 'o munno, pure si è am-
mentato pe' fa' ridere, se dà pe' certo, e se dice ca s'è
fatto a Napule. (*Come una voce che corre*) «Nun sapite
niente? A Napule è sparito nu piroscafo cu' tutto 'o ca-
rico». E nun è overo, brigadie'. Nun pò essere overo.
Chi ce crede è in malafede. Ma scusate, comme sparisce
nu piroscafo? Ch'è fatto nu portamonete? E po' pure si
è overo, allora io po' dico n'ata cosa... Logicamente, si
'o fatto è overo, vuol dire ca stu mariuolo napulitano
s'ha avuto pe' forza mettere d'accordo cu' n'atu mariuo-
lo, ca nun è napulitano... Si no comme spariva stu piro-
scafo? 'E camionne, sí. Ma si è nu camionne, se dice ca
ne so' sparite ciento... Perciò... (*al figlio*) tu ca si' giova-
ne, avariss' 'a da' 'o buono esempio... Accussí quanno te
truove e siente ca parlano male d' 'o paese tuio, tu, cu'
tutt' 'a cuscienza, puo' dicere: «Va bene, ma ce stanno
'e mariuole e 'a gente onesta, comme a dint' a tutt' 'e
paise d' 'o munno».

CIAPPA   Proprio cosí.

AMEDEO (*ammette le teorie del padre*)   Certo... Basta, pa-
pà, io vaco...

GENNARO (*come per dire: «Te lo meriti», ma con strazio*

contenuto, mentre Ciappa vorrebbe intervenire, ma si domina) Va'! (*Amedeo s'avvia*). 'O fazzuletto 'o tiene?

AMEDEO (*rovistandosi in tasca, lo trova*)   Sí, papà.

GENNARO   E... pòrtate 'o cappotto.

AMEDEO (*sempre piú sorpreso*)   Ma pecché, papà?

GENNARO   Pecché 'a sera accumencia a fa' friddo. Po' essere ca faie tarde.

AMEDEO   Io nun faccio tarde... Si te fa piacere... (*Prende il cappotto che si troverà su di una sedia accanto al comò, se lo pone sul braccio*) Io vengo ampressa, papà. (*Ed esce per il fondo a destra*).

GENNARO (*dopo lunga pausa, grave e avvilito*)   Stateve buono, brigadie'. E grazie...

CIAPPA (*alzandosi*)   Buonasera, don Genna'. E auguri per la bambina. (*E lentamente esce per il fondo, come per voler seguire Amedeo*).

Altra pausa, durante la quale Gennaro è rimasto assorto in cupi pensieri e tristi presagi. Dalla prima a sinistra entra Maria Rosaria. Ella è completamente diversa: veste sobriamente e ha assunto una strana aria dimessa che manifesta sul suo volto serio. Va al comò, prende una tazzina con una bevanda, e silenziosamente esce. Gennaro la osserva con dolore misto a tenerezza. Intanto dal fondo entra lentamente, come guardingo, Peppe 'o Cricco, fumando beatamente una mezza sigaretta. Guarda un po' intorno, cerca qualcuno, scorge Gennaro.

PEPPE   Buonasera, 'on Gennaro! (*Gennaro non gli risponde*). Ce sta Amedeo?

GENNARO (*glaciale*)   È uscito in questo momento.

PEPPE   E chillo tene 'appuntamento cu' me! (*Dà un'occhiata all'orologio a braccio: poi tra sé*) S'è avviato nu poco primma. (*Con altro tono*) 'A piccerella comme sta?

GENNARO   Comme vo' Dio!

PEPPE   Io nemmeno mi sento tanto bene... Don Genna-

ro mio, tengo nu dolore int' a sta spalla ca nun 'a pozzo
mòvere... (*E a stento muove l'omero destro*).

GENNARO (*fingendo interessamento*)   'A spalla destra?

PEPPE   Già.

GENNARO (*pronto*)   È l'automobile.

PEPPE (*trasale, non crede di aver capito bene*)   Come?

GENNARO   Ve fa male 'a spalla?

PEPPE   Eh!

GENNARO   'A spalla destra?

PEPPE   Gnorsí.

GENNARO (*ribatte*)   È l'automobile.

PEPPE (*preoccupatissimo*)   Ma allora avevo capito bene!
E scusate che c'entra l'automobile?

GENNARO (*lancia uno sguardo significativo, mascherato di
voluta ambiguità e che fa stare sempre piú in apprensio-
ne Peppe. Dura un attimo il giuoco*)   Voi forse guida-
te l'automobile cu' 'a spalla vicino 'o finestrino aperto.

PEPPE (*rinfrancato*)   Ah! No, no. Nun è chesto. È que-
stione che... Don Genna' 'e denare s'abbuscano, ma 'a
fatica è troppa. Io sto in società con vostro figlio, ma
stasera ce 'o ddico ca ce avimm' arrepusà nu poco.

GENNARO   Eh, sí! 'O riposo ce vo'... (*Con intenzione*) Nu
pare d'anne.

PEPPE   Eh! Nu pare d'anne?! Io dico ca sí. Na cosa rego-
lare. Vedete 'on Genna', (*romantico*) io me ne voglio ji'
a nu posto isolato... (*Gennaro fa un gesto di approva-
zione*). Addó nun se vede e nun se sente... Comme v'ag-
gia spiegà? Na cosa francescana...

GENNARO   Ecco... Na specie 'e munastero.

PEPPE   Bravo! Senza lusso, modesto: pure na cammera,
nu pertuso...

GENNARO (*completando*)   ... na cella!

PEPPE   Proprio: una cella. (*Pregustando già la gioia del-
la solitudine*) Cu' na perzona fore ca te sta attiento, ca
te porta 'o mmangià...

GENNARO   ... sempre all'istessa ora. Senza la preoccupazio-
ne di pensare: «Dimane che aggi' 'a mangià». Ce sta
chi ce pensa. Se trova na persona fidata.

PEPPE   Magari uno la paga...

GENNARO Non c'è bisogno. La cosa è bella quanno è disinteressata... Na bella fenesta cu' na cancellata...

PEPPE (*interdetto*) No. 'A cancellata nun me piace.

GENNARO Ma ce vo'!

PEPPE E pecché ce vo'?

GENNARO Scusate, voi avete detto che ve ne andate in un posto isolato... (*Al cenno di assentimento di Peppe*) E di questi tempi, con la delinquenza che ci sta, voi sapete chi vi vuole bene e chi vi vuole male? Vuie avit' 'a sta' bene assicurato 'a dinto... E poi queste cose francescane... so' proprio belle cu' 'e cancelle, se ho capito bene dove volete andare voi...

PEPPE Avete capito bene.

GENNARO E allora ce vo'.

PEPPE Eh... forse pure 'a cancellata.

GENNARO Certamente.

PEPPE (*alzandosi, per andar via e toccandosi con la sinistra la spalla destra*) Giesú ma io overamente nun 'a pozzo mòvere sta spalla. (*Seriamente deciso*) Ma stasera ce 'o ddico a Amedeo.

GENNARO Fate quest'ultimo sforzo e da stanotte comincia il riposo.

PEPPE Proprio cosí. Stateve buono, 'on Genna'. (*E muove verso il fondo*).

GENNARO Io po' ve vengo a truvà quanno state dint' 'a cella.

PEPPE (*accettando lo spirito che gli è sembrato bonario*) Io 'a dint' 'a cancellata e vvuie 'a fore...

GENNARO E ve porto 'e purtualle e 'e ssigarrette.

PEPPE E io vi aspetto.

GENNARO Tanto devo venire per mio figlio, vengo pure per voi.

Peppe 'O Cricco esce. Segue una breve pausa dopo la quale, dal lato opposto del vicolo da dove è uscito Peppe 'o Cricco, entra Errico.

ERRICO (*un po' stanco ed agitato, scorge Gennaro e con sincero interesse*) Buonasera. Comme sta Rituccia?

(*Gennaro non gli risponde*). Aggio ncuntrato 'O Miezo
Prèvete. M'ha ditto ca steva lo stesso: sempe cu' 'a fre-
va forte... (*Gennaro rimane impassibile*). Ho domanda-
to per quella medicina. (*Mostra una carta*) 'A tengo si-
gnata ccà, ma non mi è stato possibile trovarla. Forse
domani... (*L'atteggiamento di Gennaro lo smonta. Non
sa che dire, ma si domina. Lentamente siede al lato op-
posto del tavolo, di fronte all'altro che non lo degna
neanche di uno sguardo. Pausa*). È stato veramente un
dispiacere per tutti quanti... Specialmente pensando che
voi... siete tornato. E donn'Amalia non è che ha trascu-
rato... Ma sapite comm'è? Se dice: «Chelle so' cose 'e
criature...» Comme pure vi dico che non c'è da preoc-
cuparsi soverchiamente. Appunto perché è criatura, si
può avere la sorpresa che, da un momento all'altro, tut-
to si risolve in bene. (*Piomba di nuovo il silenzio*).
Donn'Amalia po' nun s' 'o mmèreta. È na femmena ca
se faciarria accidere p' 'a famiglia. (*Pausa*). Durante
tutto questo tempo ca vuie nun ce site stato, avimmo
visto tuttu quante comme 'a penza. E si ce sta quacche-
duno ca vo' parlà sparo sul conto di donna Amalia, è
una carogna. E vuie nun l'avit' 'a sta' a ssèntere. Io ve
songo amico e v' 'o pozzo dicere. (*Gennaro guarda in
alto come per dominarsi*). Anzi qualche volta mi sono
permesso pure di fare qualche paternale a vostro figlio.
E l'ho fatto con il cuore. Non c'eravate voi. (*Il silenzio
di Gennaro ormai lo esaspera. Il tono della voce di Er-
rico diviene concitato. Ormai non parla piú col suo in-
terlocutore; quasi a se stesso rivolge le sue parole, co-
me una confessione, un esame di coscienza*). Na femme-
na sola... Senza n'ommo dint' 'a casa. Certamente sape-
te comm'è... M'hanno visto 'e vení spisso e va tròva che
hanno pututo penzà. (*Sincero e dignitoso*) Ma io vi do
la mia parola d'onore che donn'Amalia vi ha rispettato
e vi rispetta. (*Pausa*). Voi anche stamattina mi avete
trattato freddamente. Me ne sono accorto. Ed io sono
tornato apposta per vedervi e per parlarvi. Simmo
uommene o simmo criature? Don Genna', ccà si ce sta
uno che v'ha da cercà scusa, questo sono io. Ma nei ri-

guardi di donn'Amalia dovete essere piú che convinto, piú che sicuro. (*Questo voleva dire Errico Settebellizze. Ormai si sente piú tranquillo. Pausa*). Siccomme stanotte parto p' 'a Calabria... e quanno se parte 'e notte nun se sape maie si s'arriva vivo... ecco perché ho voluto... Dato il vostro atteggiamento di stamattina... (*Visto che Gennaro non ha nessuna intenzione di conciliarsi con lui, si alza, disponendosi ad andar via*) Se vi posso essere utile in qualche cosa... (*Si avvia*) Vi faccio tanti auguri per la bambina, e... buonanotte... (*Muove qualche altro passo e, senza voltarsi, quasi commosso*) Di nuovo, 'on Genna'... (*Esce per il fondo, a sinistra*).

'O MIEZO PRÈVETE (*dopo una pausa entra dal fondo; si dirige verso la prima a sinistra*) Don Genna', niente! Aggio truvato stu scatolo 'e pínnole. (*Lo mostra. Alludendo al medico*) Mo ce 'o faccio vedé. (*Esce*).

AMALIA (*dal fondo, Amalia, disfatta, affranta, completamente cambiata dai primi due atti. Per la prima volta mostra il suo vero volto: quello della madre. È quasi invecchiata. Non vuole né può piú fingere. Non vuole né ha piú nulla da nascondere. Sconfortata, siede accanto al tavolo centrale*) Niente! Niente! Niente! Aggio addimannato a tuttu quante! Tutta Napule! Nun se trova. Chi 'o ttene, 'o ttene zuffunnato e nun 'o ccaccia. (*Disperata*) Ma che cuscienza è cchesta? Fanno 'a speculazione cu' 'a mmedicina. 'A mmedicina ca pò salvà nu crestiano! (*Con un grido di dolore*) Insomma, figliema ha dda murí? (*Disgustata*) 'O ffanno sparí pe' fa' aumentà 'e prezze. E nun è na nfamità chesta? (*Senza attendere risposta, si alza ed esce per la prima a sinistra*).

Gennaro la segue con lo sguardo.

RICCARDO (*entra dal fondo con un impermeabile scuro che ricopre un pigiama da letto. Premuroso*) Permesso? Buonasera. (*A Gennaro*) Mi hanno detto che avete bisogno di una medicina per la vostra bambina. Io credo di averla. (*Mostra una piccola scatola*) È questa?

GENNARO (*emozionato*) Accomodatevi. (*Si alza e parlan-*

do verso la prima a sinistra) Dotto', venite nu mumen-
to.

IL DOTTORE (*dall'interno*)   Eccomi. (*Entrando*) Che c'è?

GENNARO   Questo signore abita proprio qua appresso a
noi. Dice che forse tiene la medicina che avete chiesto
voi. Vedite si è essa.

IL DOTTORE (*a Riccardo*)   Fatemi vedere. (*Osservando la
scatola*) Sicuro. È proprio questa.

RICCARDO   Io me la trovo per combinazione. Sei mesi fa
ebbi la seconda bambina a letto, appunto con questo
male.

IL DOTTORE   È stata veramente una fortuna. Date a me.

RICCARDO (*rifiutandosi di consegnare la scatola*)   No. Io
la vorrei consegnare alla signora Amalia.

GENNARO (*scambiando una occhiata d'incertezza con il dot-
tore, chiama verso la prima a sinistra*)   Ama'! Viene nu
mumento ccà ffore. Vide 'o ragiuniere che vo'.

Amalia entra seguita da 'O Miezo Prèvete e si ferma a
guardare il gruppo con atteggiamento interrogativo.
Pausa.

RICCARDO (*ad Amalia con tono di fatalità, senza ombra di
vendetta nella voce, né di ritorsione*)   Donn'Ama', la
medicina che ha prescritto il dottore per vostra figlia,
ce l'ho io. (*La mostra*) Eccola qua.

AMALIA (*colpita, non disarma*)   Quanto vulite?

RICCARDO (*commiserandola, ma senza cattiveria, quasi
comprensivo*)   Che mi volete restituire? (*Amalia lo
scruta*). Tutto quello che avevo è nelle vostre mani. Mi
avete spogliato... Quel poco di proprietà, oggetti di mia
moglie, biancheria... ricordi di famiglia... (*Amalia ab-
bassa un po' lo sguardo*). Con biglietti da mille alla ma-
no ho dovuto chiedervi l'elemosina per avere un po' di
riso per i miei figli... Adesso pure di vostra figlia si
tratta...

AMALIA (*come per richiamarlo all'umanità, quasi con tono
di rimprovero*)   Ma chesta è mmedicina...

Gennaro lentamente raggiunge il fondo e volge le spalle ai due, come per sottrarsi alla scena. Il dottore segue il dialogo, dando un'occhiata ora ad Amalia, ora a Riccardo. 'O Miezo Prèvete non s'impegna; ha sempre qualche cosa da cercare o nel panciotto o nella tasca dei pantaloni, perché lo si possa ritenere assente.

RICCARDO   D'accordo. E giustamente voi dite, senza medicina indicata, se more. Ma pecché, secondo voi, donn'Ama', senza mangià se campa? (*Amalia rimane inchiodata, non sa cosa rispondere. Riccardo ribatte*) Se non mi fossi tolto la camicia, 'e figlie mieie nun sarríeno muorte 'e famma? Come vedete, chi prima e chi dopo deve, ad un certo punto, bussare alla porta dell'altro. Sí, lo so, voi in questo momento mi dareste tutto quello che voglio... Donn'Ama', ma se io per esempio me vulesse levà 'o sfizio 'e ve vedé 'e correre pe tutta Napule comme currevo io, pe truvà nu poco 'e semolino, quanno tenevo 'o cchiú piccerillo malato... (*Amalia all'idea trasale*). Se io ve dicesse: «Girate donn'Ama', divertiteve purtone pe purtone, casa per casa...» Ma io chesto nun 'o ffaccio! Ho voluto solamente farvi capire che, ad un certo punto, se non ci stendiamo una mano l'uno con l'altro... (*Porgendo la scatola al dottore*) A voi, dotto'. E speriamo che donn'Amalia abbia capito. Auguri per la bambina. Buonanotte. (*Ed esce per il fondo*).

Immediatamente Amalia con un gesto deciso costringe il dottore a precederla nella camera da letto, dov'è la sua piccola inferma.

'O MIEZO PRÈVETE (*con una lieve grattatina alla nuca*) Mannaggia bu ba!

GENNARO (*è visibilmente commosso, sí da non potersi quasi reprimere. Vuol parlare d'altro*) E tu? Affare nun n'he fatte, tu? Quanta meliune tiene?

'O MIEZO PRÈVETE   Eh... tenevo 'e meliune. (*Riferendosi all'insegnamento della scena precedente, come per dimostrare a se stesso la sua rettitudine*) Io quanno m'ag-

gio magnato na pummarola mmiez' 'o ppane me sento
nu rre! Sí, ho tentato qualche cosa, qualche affare pure
r'io, ma ce aggia avut' 'a rinunzià... (*Con un senso di
sfiducia in se stesso e nella sua fortuna*) Na vota, io e
Pascalino 'o pittore, accattàieme cinquanta chile 'e ficu
secche. Dicette: «Facimmo passà nu poco 'e tiempo:
quanno aumentano 'e prezzo c' 'e vvennimmo». Don
Gennaro mio, 'e ttruvaieme chiene 'e vierme: abbrem
mecute. 'E sciacquàieme tuttu quante, 'e mmettettemo
'asciuttà: na mmità, s' 'e mmagnaieno e súrice e 'o rie
sto ietteno 'a perimma. Certo ci sarebbe da fare... Ma
chi m' 'o ffa fa'? Specialmente mo. Muglierema muret
te sott' a nu bumbardamento... Don Genna', una cosa
mondiale... (*Ricostruendo la scena apocalittica del sini-
stro*) Stevemo sott' 'o ricovero, comme stammo io e
vuie, 'o vvedite? Fore cadevano 'e bombe e nuie ce sté-
vamo appiccecanno. «E statte zitta, – dicevo io, – 'a
gente sente!» E chella... (*Per indicare la loquacità irre-
frenabile della moglie*) E teretú... teretú. A nu cierto
punto cadette proprio 'o lato addó steva essa... Un at-
timo, don Genna'. E 'a miez' 'e pprete avette sulo 'o
tiempo 'e dicere: «Quann'esco 'a ccà sotto, parlam-
mo!» Ma fortunatamente murette subito, senza suffrí
manco nu poco. Na bella morte, don Genna'. Perciò ve
dico: sto ssulo, me metto a ffà 'o cummercio?

GENNARO (*che fino a quel momento è rimasto assente al
racconto d' 'O Miezo Prèvete e di tanto in tanto ha
guardato l'angolo dov'era la sua cameretta di fortuna*)
Dimane m'he 'a fa' nu piacere. Te ne viene nu poco
cchiú ampressa. Avimm' 'a mettere a pposto 'a camma-
rella mia. Chellu lignammo ca ce steva che n'avite fat-
to? Ll'avite iettato? Ll'avite abbruciato?

'O MIEZO PRÈVETE   Gnernò: ce sta. Quanno se facette 'a
rinnuvazione 'o llevaie propri' io e 'o mmettette dint'
'a putéca 'e don Pascale. E llà sta.

GENNARO   E dimane 'o mmettimmo n'ata vota. (*E rimane
a parlottare con 'O Miezo Prèvete, sottovoce, imparten-
dogli le necessarie istruzioni*).

IL DOTTORE (*dalla sinistra, seguito da Amalia, Assunta e*

Adelaide) Io me ne vado. Statevi di buon animo. Mo ha da passà 'a nuttata. Deve superare la crisi. Io torno presto domani mattina e sono certo che mi darete una buona notizia. Buonanotte.

ADELAIDE   Buonanotte.

ASSUNTA   Buonanotte.

Il dottore esce per il fondo, salutato con il gesto da Gennaro e da 'O Miezo Prèvete. Amalia, assorta nel suo dolore, lentamente siede accanto al tavolo, con le braccia conserte, quasi stringendo intorno alle spalle lo scialle che indossa. Ha freddo. Sente profondamente nel suo cuore tutta la responsabilità del momento, tutta la sua colpa.

ADELAIDE (*scorge lo stato d'animo di Amalia e amorevolmente le si avvicina*)   E va buono, mo. Stàteve 'e buonumore. Chillo 'o duttore steva preoccupato primma pecché nun se truvava 'a mmedicina, ma mo, avite visto comme se n'è ghiuto cuntento? (*Amalia la guarda con riconoscenza. Quelle parole le fanno bene*). Nuie ce ne iammo. Qualunque cosa, chiammàtece.

ASSUNTA   Buonanotte.

E zia e nipote escono per il fondo, in silenzio. 'O Miezo Prèvete si è seduto fuori del basso. Gennaro è rimasto fermo, in piedi, fissando il suo sguardo da giudice su sua moglie. Amalia lo avverte e ne riceve quasi un senso di fastidio. Infine, esasperata, è proprio lei che rompe il silenzio con una reazione quasi aggressiva.

AMALIA   E pecché me guarde? Aggio fatto chello che hanno fatto ll'ate. Me so' difesa, me so' aiutata... E tu pecché me guarde e nun parle? 'A stammatina tu me guarde e nun parle. Che colpa me pó da'? Che t'hanno ditto?

GENNARO (*che a qualunque costo avrebbe voluto evitare la spiegazione*)   Aggia parlà? Me vuó séntere proprio 'e

parlà? E io parlo. (*A 'O Miezo Prèvete*) Miezo Pre
aggie pacienza, vatténne, ce vedimmo dimane mmatina

'O MIEZO PRÈVETE (*alzandosi e mettendo a posto la sedia*)
Buona nottata. (*Esce*).

GENNARO Ricòrdate 'a mmasciata.

'O MIEZO PRÈVETE (*dall'interno*) Va bene.

GENNARO (*chiude il telaio a vetri e lentamente si avvicin*
alla donna. Non sa di dove cominciare; guarda la came
ra della bimba ammalata e si decide) Ama', nun sacci
pecché, ma chella criatura ca sta llà dinto me fa penz
'o paese nuosto. Io so' turnato e me credevo 'e truvà
famiglia mia o distrutta o a posto, onestamente. M
pecché?... Pecché io turnavo d' 'a guerra... Invece, cc
nisciuno ne vo' sèntere parlà. Quann'io turnaie 'a ll'at
guerra, chi me chiammava 'a ccà, chi me chiammava
llà. Pe' sapé, pe' sèntere 'e fattarielle, gli atti eroici.
Tant'è vero ca, quann'io nun tenevo cchiú che dícere
me ricordo ca, pe' m' 'e llevà 'a tuorno, dicevo buscíe
cuntavo pure cose ca nun erano succiese, o ca eran
succiese all'ati surdate... Pecché era troppa 'a folla, '
gente ca vuleva sèntere... 'e guagliune... (*Rivivendo l*
scene di entusiasmo di allora) 'O surdato! 'Assance sèn
tere, conta! Fatelo bere! Il soldato italiano! Ma mo pec
ché nun ne vonno sèntere parlà? Primma 'e tutt
pecché nun è colpa toia, 'a guerra nun l'he vuluta tu,
po' pecché 'e ccarte 'e mille lire fanno perdere 'a capa..
(*Comprensivo*) Tu ll'he accuminciate a vedé a poco '
vota, po' cchiú assaie, po' cientomila, po' nu milione... l
nun he capito niente cchiú... (*Apre un tiretto del com*
e prende due, tre pacchi di biglietti da mille di occupa
zione. Li mostra ad Amalia) Guarda ccà. A te t'hann
fatto impressione pecché ll'he viste a ppoco 'a vota
nun he avuto 'o tiempo 'e capí chello ca capisco io c
so' turnato e ll'aggio viste tutte nzieme... A me, veden
no tutta sta quantità 'e carte 'e mille lire me pare n
scherzo, me pare na pazzia... (*Ora alla rinfusa fa scivo*
lare i biglietti di banca sul tavolo sotto gli occhi dell
moglie) Tiene mente, Ama': io 'e ttocco e nun me sbat
te 'o core... E 'o core ha da sbattere quanno se toccan

'e ccarte 'e mille lire... (*Pausa*). Che t'aggia di'? Si stevo ccà, forse perdevo 'a capa pur'io... A mia figlia, ca aieressera, vicino 'o lietto d' 'a sora, me cunfessaie tutte cose, che aggi' 'a fa'? 'A piglio pe' nu vraccio, 'a metto mmiez' 'a strada e le dice: «Va' fa' 'a prostituta»? E quanta pate n'avesser' 'a caccià 'e ffiglie? E no sulo a Napule, ma dint' a tutte 'e paise d' 'o munno. A te ca nun he saputo fa' 'a mamma, che faccio, Ama', t'accido? Faccio 'a tragedia? (*Sempre piú commosso, saggio*) E nun abbasta 'a tragedia ca sta scialanno pe' tutt' 'o munno, nun abbasta 'o llutto ca purtammo nfaccia tutte quante... E Amedeo? Amedeo che va facenno 'o mariuolo? (*Amalia trasale, fissa gli occhi nel vuoto. Le parole di Gennaro si trasformano in immagini che si sovrappongono una dopo l'altra sul volto di lei. Gennaro insiste*) Amedeo fa 'o mariuolo. Figlieto arrobba. E... forse sulo a isso nun ce aggia penzà, pecché ce sta chi ce penza... (*Il crollo totale di Amalia non gli sfugge, ne ha pietà*) Tu mo he capito. E io aggio capito che aggi' 'a stà ccà. Cchiú 'a famiglia se sta perdenno e cchiú 'o pate 'e famiglia ha da piglià 'a responsabilità. (*Ora il suo pensiero corre verso la piccola inferma*) E se ognuno putesse guardà 'a dint' 'a chella porta... (*mostra la prima a sinistra*) ogneduno se passaria 'a mano p' 'a cuscienza... Mo avimm'aspettà, Ama'... S'ha da aspettà. Comme ha ditto 'o dottore? Deve passare la nottata. (*E lentamente si avvia verso il fondo per riaprire il telaio a vetri come per rinnovare l'aria*).

AMALIA (*vinta, affranta, piangente, come risvegliata da un sogno di incubo*) Ch'è ssuccieso... ch'è ssuccieso...

GENNARO (*facendo risuonare la voce anche nel vicolo*) 'A guerra, Ama'!

AMALIA (*smarrita*) E che nne saccio? Che è ssuccieso!

Maria Rosaria, dalla prima a sinistra, recando una ciotolina con un cucchiaio, si avvia verso la «vinella».

GENNARO Mari', scàrfeme nu poco 'e cafè...

Maria Rosaria senza rispondere si avvicina al piccolo ta-
volo nell'angolo a destra, accende una macchinetta a
spirito e dispone una piccola cúccuma.

AMALIA (*rievocando a se stessa un passato felice di vita
semplice*) 'A matina ascevo a ffa' 'o ppoco 'e spesa...
Amedeo accumpagnava a Rituccia 'a scòla e ghieva a fa-
ticà... Io turnavo 'a casa e cucenavo... Ch'è ssuccieso...
'A sera ce assettàvamo tuttu quante attuorno 'a tavula
e primma 'e mangià ce facevamo 'a croce... Ch'è ssuc-
cieso... (*E piange in silenzio*).

AMEDEO (*entra lentamente dal fondo. Guarda un po' tutti
e chiede ansioso*) Comme sta Rituccia?

GENNARO (*che si era seduto accanto al tavolo, alla voce di
Amedeo trasale. Il suo volto s'illumina. Vorrebbe pian-
gere, ma si domina*) S'è truvata 'a mmedicina. (*Si al-
za e dandosi un contegno, prosegue*) 'O duttore ha fat-
to chello ch' avev' 'a fa'. Mo ha da passà 'a nuttata. (*Poi
chiede con ostentata indifferenza*) E tu? nun si' ghiuto
'appuntamento?

AMEDEO (*timido*) No. Aggio pensato ca Rituccia steva
accussí e me ne so' turnato. Pareva brutto.

GENNARO (*con lieve accento di rimprovero*) Era brutto.
Damme nu bacio. (*Amedeo bacia Gennaro, con effusio-
ne*). Va' te miette nu poco vicino 'o lietto d' 'a picce-
rella ca tene 'a freva forte.

AMEDEO Sí, papà. (*Si avvia*).

GENNARO (*fermandolo*) E si Rituccia dimane sta meglio,
t'accumpagno io stesso 'a Cumpagnia d' 'o Gas, e tuor-
ne a piglià servizio.

AMEDEO (*convinto*) Sí, papà. (*Ed esce per la prima a si-
nistra*).

Maria Rosaria ha riscaldato il caffè e ora porge la tazzi-
na al padre. Gennaro la guarda teneramente. Avverte
negli occhi della fanciulla il desiderio d'un bacio di per-
dono, cosí come per Amedeo. Non esita. L'avvince a sé
e le sfiora la fronte. Maria Rosaria si sente come libera-
ta e, commossa, esce per la prima a sinistra. Gennaro

fa l'atto di bere il suo caffè, ma l'atteggiamento di Amalia, stanco e avvilito, gli ferma il gesto a metà. Si avvicina alla donna e, con trasporto di solidarietà, affettuoso, sincero, le dice:

GENNARO   Teh... Pígliate nu surzo 'e cafè... (*Le offre la tazzina. Amalia accetta volentieri e guarda il marito con occhi interrogativi nei quali si legge una domanda angosciosa:* «*Come ci risaneremo? Come potremo ritornare quelli di una volta? Quando?*» *Gennaro intuisce e risponde con il suo tono di pronta saggezza*) S'ha da aspettà, Ama'. Ha da passà 'a nuttata. (*E dicendo questa ultima battuta, riprende posto accanto al tavolo come in attesa, ma fiducioso*).

Indice

Stampato per conto della Casa editrice Einaudi
Presso la Estroprint, Belvedere di Tezze sul Brenta (Vicenza)

C.L. 6585

Ristampa   Anno

22   23   24   25   26   27   2008   2009   2010   2011

TS 0007891222

E 1.258 F
NAPOLI
22^a RIST.
DE FILIPPO ED

TEATRO
EINAUDI